紫式部日記

天才作家のひみつ

時海結以／文　久織ちまき／絵

講談社 青い鳥文庫

もくじ

おもな登場人物　4

一　数少ない友だち　8

二　幸せをくれた人　19

三　居場所の作りかた　38

四　役目は、記録をすること　64

五　若宮さまのご誕生　84

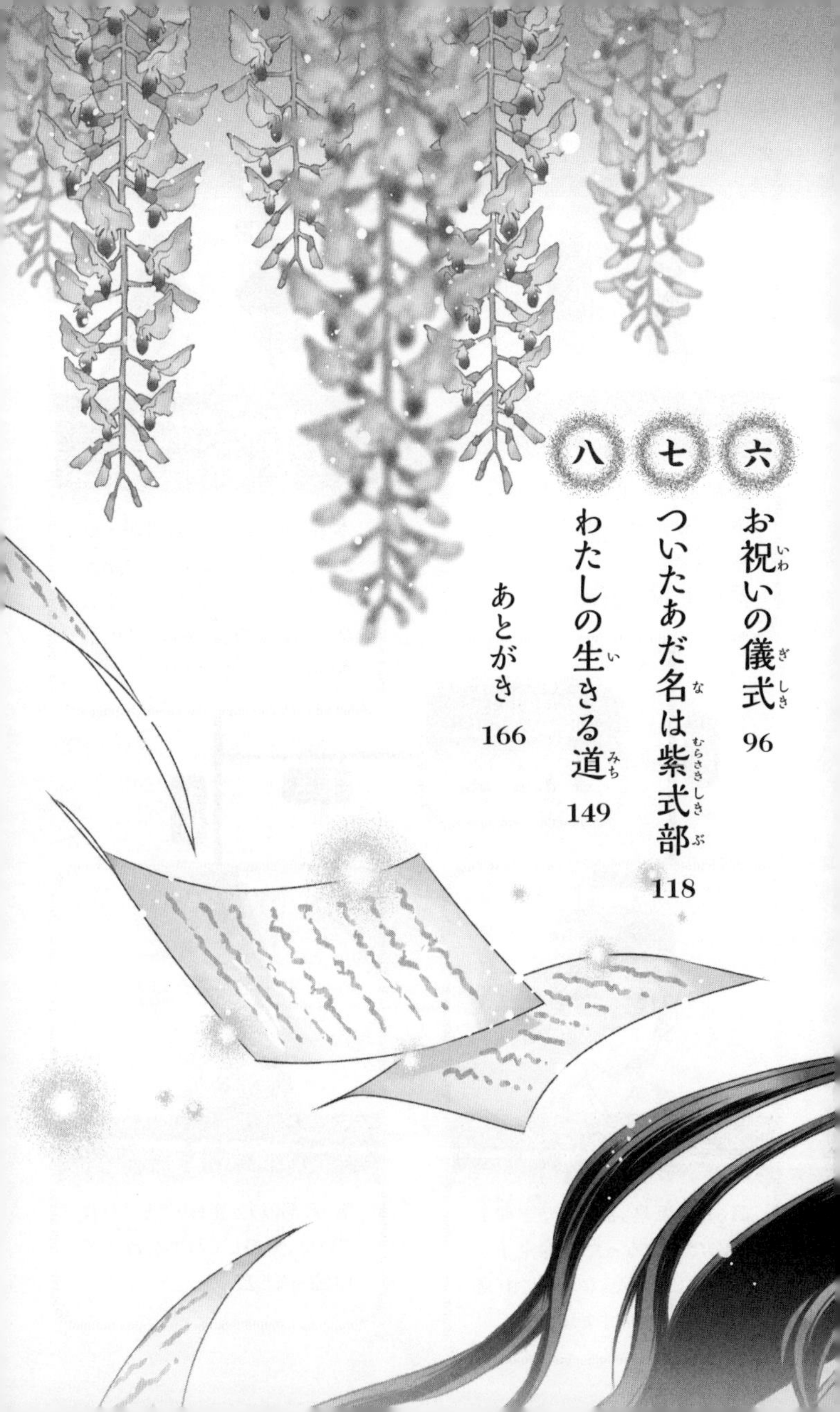

六 お祝(いわ)いの儀式(ぎしき) 96
七 ついたあだ名(な)は紫式部(むらさきしきぶ) 118
八 わたしの生(い)きる道(みち) 149
あとがき 166

おもな登場人物

中宮彰子

藤原道長の娘で、一条の帝の中宮(妻)。おっとりした優しい性格。教養を身につけようと、紫式部から唐国の詩について学ぶ。

紫式部
(藤式部)

本名は藤原香子。読書が大好きで、人づきあいが苦手。書き進めていた『源氏物語』が評判になって藤原道長の目にとまり、いやいや宮中で働くことに……。

藤原賢子

紫式部の娘。

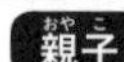

一条の帝

第66代天皇。温和で、学問を好んだ。亡くなった皇后定子を大切にしていた。しだいに中宮彰子に心をゆるすように。

藤原宣孝

紫式部の夫。変わり者と言われていた。結婚してわずか数年で亡くなってしまう。

藤原伊周

道長の兄・道隆の息子。叔父の道長と権力争いをすることになり、事件を起こしてしまう。

おい

藤原道長

兄たちがあいついで亡くなったため、出世して権力をもつ。紫式部を彰子の世話係にした。

兄弟

藤原隆家

伊周の弟。道長のいやがらせに負けない、強い意志のある人物で、道長も一目置いていた。

おい

源倫子

道長の妻。

源経房

道長の妻の弟。清少納言と親しく、『枕草子』を最初に世に広めた人物と言われている。

藤原行成

まじめすぎて冗談も通じない性格。仕事はよくでき、字が上手。一条の帝に信頼されていた。

『源氏物語』とは――。

平安の世、ある帝が、宮中で働く女性を愛したことにはじまる。

女性は美しい男の子を産んだが、まだその子がおさないころに、亡くなってしまった。光る君とよばれたその子は、父から源氏という姓をあたえられて、帝の皇子ではなく家臣の身分となる。

源氏はいつも亡き母の面影をさがしもとめ、母にそっくりだという帝の現在の妻――藤壺の中宮に恋をするが、その思いがかなうはずもない。

十八歳のとき、源氏は藤壺のめいで、母を亡くした紫という十歳の少女と知りあい、自分の家にひきとってかわいがる。しかし、かなわない恋のかわりにはならず、源氏は愛をあたえてくれそうな女性たちとかかわって、いくつかの事件を起こしてしまう。

やがて、成長した紫を妻にして、源氏は帝につぐ地位にまで上りつめるが、また悲劇が待ちかまえているのだった。

人を愛するとは、どういうことなのか、
登場人物……とくに女性たちのひと
りひとりがなやみ、苦しんで答
えを見つけてゆく、十一世紀
はじめに書かれた、世界で
最初の長編恋愛文学。

一　数少ない友だち

わたしには、ものごころついたときから、母がいない。

本当におさなかったころに、病気で亡くなってしまったそうだ。

父は男手ひとつで姉と兄とわたしを教育し、育てあげた。父親が娘を教育するのは、大変だっただろう。父が得意なのは、女の子に世間が求めるお裁縫でもお行儀でもなく、漢字で書かれた本を読む学問だったのだから。

そのためか、わたしは、本が大好きになった。

本を読むのがなによりも楽しくて、本の内容をおぼえるのが得意で、その内容について、いつまでも考えをめぐらせるのが、いつもの時間のすごしかたになったのだ。

けれど……やがて、あることに気がついた。ほかの人は、本を読んだり、その内容について考えたりするよりも、他人とのおしゃべりに時間を使っていたのだ。

わたしは、なんだか、ほかの女の子とちがう。

ここにいていいのか、ときどき、よくわからなくなる。

べつの世に、もっといいところがあるような……わたしのことを、理解してもらえる場所があるような。

そういった思いが、心からはなれなくなった。

泣きたくなったりもする。

そんなとき、まだだれも読んでいない、わたしが最初の読者である「物語のかけら」を想像すると、しばらくは楽しい心でいられるのだった。

わたしにも、おさななじみの友だちはいた。いっしょにおままごとや、お人形遊びをした、女の子の友だちだ。

　でもある年、その子は地方のとある国の長官になったお父さまといっしょに、遠い国へ行ってしまい、会えなくなった。

　わたしが物語の本をたくさん読み、十五、六歳になったころ、思いがけなく、その子に会うことができた。

　秋のことだった。雲の切れ間から、柿の種みたいな形の月がのぞく、たそがれどき、その子がわが家の前を通りかかった。

　たまたま、家に帰ってきたところだったわたしは、門を入ろうとして、*牛車から声をかけられた。

「もしかして、香子？」

　止まった車から、顔をのぞかせたのが、その子だと気がつくのには、ちょっとだけ時が必要だった。

「え？　まさか……なつかしい！」

*牛車　牛に引かせる車。平安時代の貴族の一般的な交通手段だった

「本当にひさしぶりね、香子。いったん京へもどったのだけれど……もう、新しい土地へ出発しなくてはならないの。ゆっくりできなくてごめんね。どうしても、なつかしいあなたの家だけでも見たくて、この道を通ってもらったの。」

うれしかった。むじゃきに遊んだおさない日々は、心地よい思い出だった。

「ううん、会えただけでいいの。元気だった？」

「ええ。あなたも？」

「うん。あなたがいなくなってから、本をたくさん読んですごしたの。」

「そうなの……。」

わたしや家族のことをひととおりたずねると、その子は京で流行っているものや、うわさ話を、たくさんたくさん知りたがった。その子をよろこばせたくて、わたしもいっしょうけんめい、知っていることを話した。

あっという間に時がすぎ、あたりが真っ暗になる。いっしょに車に乗っていた家族からなんどもせかされ、

「きっとまた、いつか会おうね。」

と言い残して、その子はあわただしく行ってしまった。

門のところで彼女の乗った牛車を見送り、部屋にもどったわたしは、急に悲しくなった。

庭からは鳴きはじめた虫の音が、細く、とぎれとぎれに聞こえてくる。

『めぐりあひて　見しやそれとも　わかぬ間に　雲がくれにし　夜半の月影』

つい、わたしは歌をつぶやいていた。

歌を詠むのも、物語のかけらを想像するのとおなじくらい、好きだ。決まった文字数のなかで、いかに気持ちをうまくあらわすか、使う言葉を考えつくせるところがいい。

(せっかくひさしぶりに会えたのに、本当にその子かどうかわからないくらい、信じられないくらい短いあいだしか、話せなかった。夢を見ていたみたいで……。月が雲にかくれるみたいに、またいなくなってしまった。)

でも、もっとたくさん話をしていたら、

(長い時間のあいだに、思っていた人とはちがうふうになったのね。)

と気がついて、がっかりしたかもしれない。

(だから、これでよかったのだわ。)

それでも、どうしても、（もっと話したかった。）という思いが消えない。

もしかしたら、わたしのことをちゃんとわかってくれたかも、と考えてしまうから、消えないのだ。そう思う自分が、せつない。

それからまた数年して、結婚していた姉が、亡くなった。すこし年がはなれていた姉は、とてもわたしをかわいがってくれた。父や兄とちがい、わたしのありのままを、受けとめてくれた。

わたしのことを、だれよりも受け入れてくれる人がいなくなって、わたしはさびしくてたまらなかった。ひとりぼっちになった気がした。

おなじころ、年上のいとこで、妹を亡くした人がいた。おさないころから家族ぐるみで親しくしてきた人だ。

おたがい、つらくてなぐさめあい、こんな約束をした。

「香子、これからは、あなたを妹だと思うわ。」

「わたしも、お姉さまとよばせてもらいますわね。」

けれど、まもなく、春の朝廷の人事異動で、いとこのお父さまは*筑紫のほうにある*肥前の国の長官になり、遠く、西へと行くことになった。

地方の国へは、家族で行くことが多い。京の都にいるよりも暮らしが豊かになるからだ。京では位があまり高くない役人でも、その国ではえらい人になるので、地元の人からの贈りものがいろいろと手に入る。

「じつは、いっしょに行こうかどうしようか、まよっているの。」

と、わが家にお別れのあいさつに来たいとこは、わたしにうちあけた。

「さびしくなるもの。妹のあなたと話ができなくなるなんて。」

「でも、お姉さま。あちらのほうが、よい暮らしもできるし、めずらしいものも見られるはずですわ。」

とりあえずわたしは、世のなかの人がよく言うようなことを言った。すると、いとこは、がっかりした顔になった。

「あなたなら、止めてくれるか、なぐさめてくれると思ったのに。」

*筑紫　九州のこと　*肥前　現在の佐賀県・長崎県

わたしの胸が、ちりり、と痛んだ。じょうずに話をしようと思って、ほかの人たちのおしゃべりをまねしたのに、まちがっていた。

「ごめんなさい。わたしが『行かないで。』と言ったら、京にいてくれるの？」

「……それはできないわ。」

「だったら、たくさん手紙を書いてください。わたしも、お返事を書きますから。」

「気がすすまないわ。話せるほうがいいじゃない。手紙なんて、返事をもらうまでに、どれほど時間がかかるか。」

わたしは、本や手紙や歌が好きなのだけれど……。どういう気持ちで書かれたものなのか、自分ひとりでじっくり考えられるし。

それでも、いとこの心を傷つけたのはつらくて、いっしょうけんめいになだめた。

「わたしは、お姉さまからお手紙をいただけたら、とてもうれしいわ。はなれていても、いろいろと相談したいもの。わたしが先にお手紙を出しますから、お姉さまは、気がむいたときでよろしいので、お返事をくださいね。」

けれど、いとこはふきげんなまま、帰っていった。

ところが、その直後、父が大よろこびして仕事から帰ってきた。

「やった、やったぞ！　越前の国の長官になれた！　惟規、香子、さあ越前へ行くぞ。」

いきなりそう言われ、兄とわたしは顔を見あわせた。

「お父さま、『今年も人事異動にはずれ、思ったような仕事につけなかった……。』と、なげいておられたのでは？」

収入の少ない今の仕事がいやで、父は毎年、どこかの国の長官にしてほしい、と願いを届け出ていた。けれど、いつもだめだった。

「ああ。あまりに毎年はずれるから、頭にきて、『どうせだめなら、なんでもやってやろう。』と、一条の帝さまあてに、なげきをうったえた長い手紙をさしあげたのだよ。そうしたら、その手紙に、帝さまがお心を打たれたとのこと。決まっていた人事が変更されて、わたしが越前の長官になったのだ！」

わたしも京をはなれ、雪国へ行く。

このことをいとこに知らせる手紙を書くと、いとこはこんな歌を送ってきた。

＊越前　現在の福井県中部・北部

『西の海を　思ひやりつつ　月見れば　ただに泣かるる　ころにもあるかな』
（わたしがながめるはずの西の海のことを考えながら月を見ると、ただただ泣けてくるこのごろです。）

わたしは、こんなふたつの歌を返事にした。

『西へ行く　月のたよりに　玉章の　書きたえめやは　雲の通ひ路』
（毎晩西へと行く月に、あなたへの手紙をあずけましょう。たとえ、はるかな雲のあいだにある月の通り道まで、あずけに行くとしても。毎晩月は空にいて、あなたはその月を見るのですから。）

『北へ行く　雁のつばさに　ことづてよ　雲の上がき　書きたえずして』
（お姉さまは、北へ行くわたり鳥のつばさに、手紙をあずけてくださいね。鳥がその羽で雲をかきつづけるように、手紙を書きつづけてくれることを願っています。）

二　幸せをくれた人

こうして、その夏、わたしと父と兄、一家三人と使用人たちとで、越前へと旅だった。

この年、朝廷では大きな事件が起きていた。一条の帝さまのお妃――中宮定子さまのご兄弟が、前の帝であられる花山院さまを、かんちがいから弓でおそったのだ。

ご兄弟の藤原伊周さまと隆家さまは有罪が決まり、つかまりたくなくて、おふたりともにげまわっていたのが五月のことだ。

わたしたちが出発したのは、そのすぐあとのころになる。

琵琶湖の岸を通って、北へとむかう。父と兄は馬に乗り、わたしは人がかつぐ輿に乗って、使用人たちは歩いた。琵琶湖は、おどろくほど大きな湖だった。むこう岸がかすんでよく見えない。湖面が大きく波立っている。

「これが、本に書いてあった海ではないなんて!」

　すると、道案内の人が笑った。

「姫さま、これでおどろいていたら、本当の海では、もっとおどろきますぞ。」

　その晩は、岸辺にあるやしきに泊めてもらった。地元の漁師たちが、湖にしかけておいた網を岸でひいて、魚をとるところを見せてくれた。

「はじめて見た……。食べるもの……お米のなる草や菜は、土から生えているし、魚は水のなかにいるのね。」

　本に書かれていたとおりだ。

　兄は、めずらしいものを見た、とはしゃいでいたけれど、わたしは魚が息たえていくのがあわれで、早くも旅がいやになっていた。

　翌日は、舟で琵琶湖をわたった。湖が大きいので、ぐるっと回るよりも、そのほうが早くつくのだそうだ。けれど、空が黒い雲でおおわれてきて、

「夕立が来るぞ。」

「いそげ！」

と、舟をこぐ男たちがさわぎはじめる。風が強くなり、波が立って舟がゆれ、ひっくりかえるんじゃないかと、こわくてこわくて生きた心地がしなかった。

（そうよ。人生なんて、一歩大きくふみだしたら……冒険に出たら、こういうこわいめにあうの。この先、いったいなにが待ちうけているのか、ぜんぜんわからない。）

雷が鳴り、稲妻が光って宙を走る。

わたしは、不安におしつぶされそうになりながらも、心のどこかで、冷静になっている自分がいるのに、気がついた。

それは、京の家のなかで、本を読んでいるときにはなかったことだった。冷静な自分が、どんどん大きくなる。

（舟に乗っているときに嵐にあうなんて、なんどもあることじゃない。なにが起きるのか、すべて知りつくしてみたい。）

ふしぎな感覚だった。

（このめずらしい経験を、今の気持ちを、全部おぼえておきたくて、たまらない。）

兄や使用人たちは悲鳴をあげ、大さわぎしていたから、たぶん、わたしだけがそう思ったのだろう。

幸い、舟はひっくりかえることなく、夕立が去ってまもなく、対岸についた。

さらに翌日、また輿に乗って、国ざかいの山をこえる。輿をかついでいる男の人たちが、

「つらいなあ。」

「ひどい登り道だ。」

となげいているのが聞こえる。

(そうでしょうね。この山道を通いなれている地元の人たちだって聞いたけれど、それでもつらくて大変だと思う。毎日生きているだけでも、つらくて大変なのに、きょう歩く足もとだけが楽なはずがない。)

兄たちは、高い山からの緑豊かな景色をめずらしがって、旅を楽しんでいる。なぜわたしはおなじように楽しめないのか、といやになった。

何日かの旅で、わたしたちは越前の*武生というところにある長官のやしきについた。

越前でわたしは、海を見た。目が回るほど、大きな大きなものだった。

さすがにおどろいたので、いとこに手紙を書いただけではおさまらず、ふと思い出して、*遠い親戚の藤原宣孝さまにも手紙を書いた。

宣孝さまは、ときどきわが家に父をたずねてくるかただった。わたしよりも二十歳以上も年上で、大人のすてきなお兄さま……というか、もうひとりの若いお父さま、という感じだ。じっさい、わたしとおなじくらいの年の子どもをもつかたでもある。

お父さまとちがうのは、宣孝さまは、まだ子どもだったころのわたしを大人あつかいして、対等に話をしてくれるところだった。

「香子には、きちんと説明すればわかる。わかってもらえるのが、わたしもうれしい。」

それが宣孝さまの口ぐせだ。

人見知りだったわたしも、宣孝さまだけには心をゆるしていた。

『海にはおどろかされました。人の存在がいかに小さいか、思い知りました。

*武生　現在の福井県越前市　*遠い親戚　紫式部の祖母と宣孝の祖父がきょうだい。つまり、はとこの関係

海のはては見えないというのに、その先には*唐国があり、そこからこの海をわたってきた人がいるのです。七十人くらいで、船が流され、筑紫の湊につくはずが、越前の西にある*若狭の浜についてしまったそうです。その人たちをお世話するよう、父が地元の人に命じています。』

すると、宣孝さまから返事が来た。

『唐国の人を、見に行きたいね。めずらしい着物を着ているのだろう？　話もしてみたい。きっと貴重な話が聞けるだろう。漢字を書けば、話は通じるからね。きみにも会いに行こうかな。なれない土地で、さびしがっていないかい？』

（宣孝さま……。）

話したい、と思った。胸が苦しくなるくらいに。

手紙ではなく、話したい。唐国の人を見に来るついで、でもいいから。

（そんなこと思ったの、はじめて。）

自分でもおどろいた。どうしてしまったのだろう、わたしは。

*唐国　唐のことだが、このときはもう宋になっていた。現在の中国　*若狭　現在の福井県西部

混乱して、つい、こんな返事を書いてしまった。

『唐国の人を見に来るなんて、ましてやわたしに会いに来るなんて、もちろん、ごじょうだんですよね？　父が仕事でお世話をしているかたがたを、遊び半分でごらんになりたいというのは、いかがなものでしょうか。』

すると、おわびの短い手紙が来て、わたしはひどく後悔したのだった。


やがて、冬が来た。

越前では人の背丈近くも高く雪が降りつもる、とは聞いていたけれど、本当に毎日毎日雪が降る。いつも空はどんよりと雲におおわれていて、そこから真っ白な雪がひたすら降ってくる。

いやになってしまった。日の光をあびたい。

使用人たちはおもしろがり、庭の雪を集めて固め、大きな山を作った。上ってはすべりおりて、遊んでいる。毎日すこしずつ高くなり、屋根よりも高い山になった。

「姫さま、お部屋から出てきて、この雪の山を見てください。」

「こんなものは、京では作れませんよ。」

わたしはため息をついて、窓ごしに言いかえしたのだった。

「ふるさとの京に帰る山道につもった雪なら、気が晴れるかと思って、そばに行ってみるけど、越前の雪の山では、見てもしかたがないわ。」

雪にとじこめられ、光は射さず、わたしはとことん、ここがいやになったのだった。

気晴らしは、いとこと宣孝さまに手紙を書くことだけ。いとこに書く手紙より、宣孝さまに書く手紙のほうが、ずっと楽しくて、いろいろなことを書きたくなった。

毎日、「これは、宣孝さまにお知らせしよう。」と、思うことがあり、紙に書きとめていた。いとこには、「約束したから」書くだけになってしまう。

（ここがいやになったのは、雪のせいだけじゃない。宣孝さまに会って、じかに話したいから。雪が悪いんじゃない。）

そう気がついたころ、新年になった。宣孝さまからの手紙が、深い雪をふみわけて、使いによって届けられる。

わたしは待ちきれず、毎日使いを待っていた。届いたときは、運んできた使用人からひったくるように受けとると、やぶれそうないきおいで手紙をひらいた。

『春になれば、かならず雪はとけますよ。どうにかして、あなたにそう教えたいな。』

「春……もうすぐ、春だけれど……。」

窓の外では、雪が降りつづいている。

「越前の雪は、いよいよ降りつもって、いつになったらとけるのか、ぜんぜんわからない。」

(春なんて、来るの？)

しかも……こんなことが起きた。

お父さまに来たある人からの手紙に、わたしが宣孝さまに書いた手紙の内容が書かれていて、「本当ですか。」とたずねられたのだ。それをお父さまから聞いて、わたしは目の前が暗くなった。

「宣孝さま、わたしからの手紙を、おもしろがって人に見せてまわったんだわ。」

腹が立つ、というよりも悲しくて悲しくて、立ちなおれなかった。わたしは真剣に書いていたのに。

『今までの手紙を集めて、全部返してください。でなければ、もう、お返事は書きませ
ん。わたしの気持ちを、そんなふうにあつかうなんて、わたしと絶交してもかまわないと
いうことでしょうか？』

そう書いて送ったら、おわびの手紙が来た。

『傷つけてしまい、まことに申しわけない。きみのことについて友人に、真剣に相談した
ら、そこからうわさが広まってしまった。

手紙を返せば、きみと絶交してもいいと、みとめることになる。その前に、じかにわた
しの話を聞いてほしい。旅の費用は出すので、京に来てくれないか。

それもいやだというなら、手紙は返す。そうなれば、二度と会うこともないだろう。』

(宣孝さまにお会いできないのは、いや！)

わたしはその場で、京にもどることを決意していた。そうなると、父はわかっていたよ
うだった。

父の部下が、京へ仕事の連絡係で行くというので、いっしょに連れていってもらうことになった。また輿にゆられて山道をこえ、わたしは京へもどった。春になり、雪のない土地を見て、ほっとしたものだ。

わたしが家について部屋に入り、窓をあけて外を見ると、予告なしに彼が立っている。宣孝さまは、わたしの家をきれいにそうじさせ、わたしの帰宅を庭先で待っていたのだ。思いがけないことにどきっとして、息が苦しい。

「香子、会いたかったよ。申しわけないことをした。すまない。」

縁側へ出たものの……かけよりたかったけれど、わたしは足がすくんでできなかった。宣孝さまの顔が、あまりにも真剣だったので。その場に、すわりこんでしまう。

おそるおそる、たずねた。

「……どうして、このようなことになったのでしょうか？」

「きみと、心が近くなりすぎた……のだ。手紙ではなく、じかに話したいから、よびもどしたくて。どう伝えれば、きみがそうしてくれるか、わからなくなって……その、きみを無理に連れもどすことにならないかと。」

「わたし、知らない土地も、雪も、いやだと書きました。」

「だから、連れもどしたかったのだけれど……わたしときみは、親子ほども年がはなれている。わたしが言うことを、きみは父親の命令のように受けとるかもしれない。したがわなければならない命令としてね。

たまたま、きみが京に帰りたがっている今回はいいとしても、これからもわたしは、そうやってきみに、言うことを聞かせてしまうかも……きみのためを思っている、とか自分に言い訳をして。」

その……、と宣孝さまは照れたように一度視線を落とし、あらためて言った。

「大人になったきみと、ふたりでもっと話したい。きみなら、すこし人とちがうわたしの考えかたも、わかってくれる。」

宣孝さまは、おさなかったわたしを対等にあつかってくれた。そのことだけでも、かなり変わった大人だというのは、成長するにつれてわたしにもわかってきた。

宣孝さまは以前、奈良の吉野の山にあるお寺へ、きれいな着物を着てお参りに行ったことがある。じつはそのお寺は、質素な服を着てお参りするのが、ならわしだった。

けれど宣孝さまは、

「くだらない。ふだん、きれいな着物を着ている者たちが、わざわざ、質素な着物を作って着るとは。仏さまが『みすぼらしいかっこうで来なさい。』と言った証拠があるのか？質素な着物の者でも、仏さまは差別なさらずに、願いを聞きとどける、ということであって、『そのときだけでも、ぼろぼろのかっこうで行けば、より願いが聞いてもらえる』わけではない。それは自分の欲から出たかっこうであり、質素な着物しか着られない者たちを、ばかにしている。」

というお考えで、身なりをきれいに整えて、お参りされたのだ。世の人たちは、宣孝さまに罰があたるのでは、と思ったらしい。

けれど、それからすぐ宣孝さまは、*筑前の国の長官という、いい仕事につけたのだから、宣孝さまが正しかったのだ。

その話を聞いて、わたしは、宣孝さまはすばらしい、と感動した。


宣孝さまは、わたしに歩みより、話しつづけた。たがいに手をのばせば、指先がふれられるほどの近さだ。

縁側に体がはりつけられたみたいに、わたしは動けず、にげられなかった。

「きみとともにいたい……けれど、あまりに年がはなれていて、わたしの気のまよいだろうと、ずっと自分に言い聞かせていた。

きみが遠くへ行ってしまって、手紙だけのやりとりになって……手紙の返事を待つあいだが、つらいほど長くて、気のまよいなどではない、そう痛感した。

それでもまだ、まさか、という気持ちで友人にうちあけたら……あきれられたのか、うわさになってしまった。」

わたしの前に、宣孝さまはひざまずく。

＊筑前　現在の福岡県北部・西部

「今のきみは、大人の女性だ。わたしとともに生きて……そばにいてほしい。」

「それは……その……わたし、あなたの……。」

「新しい妻になってくれ。」

「……はい……。」

そう返事をするだけで、せいいっぱいだった。ことわる……どころか、考える余裕もなかった。わたしは、藤原宣孝さまと結婚し、後妻となった。

宣孝さまは、おもしろいかただ。ほかの人が考えもしないことを考える、というところはわたしと似ていたが、わたしとちがい、おもしろいことをよく思いついた。

あるときは、他の女性との思い出話にわたしがちょっといらいらしたら、朱色の墨をぽつぽつと飛ばした紙に、こう書いてわたしてくれた。

『見てください、わたしのなみだの色です。あなたにわかってもらえなくて、泣きすぎてなみだが血に変わりました。』

でも、わたしのことを、今はひたすら見つめてほしかった。

やきもちを焼くなんて、わたしが悪いとは思っても。……わたしが悪いと思うからこそ、そういうじょうだんや、おもしろさがいやになるのだ。心のせまい自分がはずかしくて。

また、宣孝さまは絵がおじょうずで、わたしにもよく絵をかいてくれた。

「この絵にぴったりな歌を、横に書いて。でなければ、この絵は完成しないよ。」

いつもそう言った。わたしが歌を書くと、とてもほめるのだった。わたしにあまい人だな、と思いつつ、うれしかった。

そして、わたしも人とおなじように「恋」をして、おなじようにうれしがれるのだと、気がついた。「恋」に苦しむこともできるのだ、と。

(宣孝さまのそばでなら、この世に足をつけて、生きていられる気がする。)

また春が来て、わたしは桜の花の枝を花びんにさし、家じゅういっぱいにかざった。すぐに花が散ってしまい、室内が花びらだらけになった。

「あそこにさいている桃の花なら、こんなにかんたんには散らなかったでしょう。」

わたしが庭を見ながらそう言うと、宣孝さまは答えた。

「そうだね。桃は百――百年という名をもっているだろう。世間の人は、散る桜の美しさばかりほめるけれど、わたしは、百という名のように、長もちする桃のほうがすばらしいと思うんだ。」

近より、わたしの肩に手を置く。

「きみが花なら桃がいい。ずっと長く、そばに咲いていてくれるから。」

「いやだわ、宣孝さま。」

照れたわたしが笑うと、宣孝さまはまじめに言った。

「きみの笑顔をひきだすのが、わたしの楽しみなのだよ。もっと、笑ってくれ。せめてわたしの前では。」

「……ええ。」

わたしたちは、まもなく女の子をさずかった。

「名前は、賢い子、にしよう。*賢子だ。」

宣孝さまらしい、とわたしは感じた。女の子なら「女らしい幸せ」「女らしい美しさ」を願う名前にすることが多いのに、「賢い子」。

賢すぎる女は、きらわれてしまうかもしれない。男から、それ以上に女からも。

「じょうずな賢さ、というものがあると、わたしは思う。親に似ず、そのあたりをなやまない、でもちゃんと考えられる子になってほしいからね。」


このころが、わたしの人生で、いちばん幸せなときだった。

次の春の終わり……宣孝さまは、かぜをこじらせて、あっけなく亡くなった。

ものごころもまだつかない、おさない賢子とふたり、わたしはこの世にとりのこされてしまった。

＊賢子　読みかたは「かたいこ」ともいわれている。小倉百人一首『有馬山　猪名の笹原　風吹けば　いでそよ人を　忘れやはする」の作者

三　居場所の作りかた

しばらく、わたしは、ぼうぜんとすごしていた。賢子がわたしを求めて泣かなかったら、わたしは生きることもあきらめていたかもしれない。

(賢子だけは、寒くないように、お腹がすかないように……賢子になにかあったら、宣孝さまにもうしわけが立たない。)

――『ずっと長く、そばに咲いていてくれるから。』

(生きていればこそ、だったのに。宣孝さまの言葉が、いまさら身にしみる。宣孝さまの思い出話にいらついたりして、本当に悪いことをしてしまった。今ならわたしは、血のなみだだって流せる。)

いっしょうけんめいのつもりでも、ときおりぼんやりしていたのだろう。ゆだんしていたら賢子が病気にかかってしまった。わたしは、かたときもそばをはなれず、必死になって看病した。

(この子が若竹のように、すくすくと成長していくことだけを、祈ります。宣孝さま、どうか、この子を守って。)

願いが通じたのか、幸い賢子はすぐ元気になった。

この世は悲しいところだし、思うとおりにならない。でも、よろこびがなにもないわけでもない。賢子の笑顔という、美しくなぐさめられるものがある。

父が越前から京に帰ってきたので、わたしと賢子は父の世話になった。

けれど、また収入の少ない仕事にもどってしまった父に、めいわくをかけているという思いがあった。

再婚すればいいのだろうけれど、宣孝さまのようなかたは、二度と現れない。

居場所の見つからないわたしは、泣きたくても、泣くことすらもためらわれた。

(泣いたら、宣孝さまがあの世で心配するわ。)

でも、がまんするのは、苦しくて、悲しくて……心がこわれかけたとき、わたしは気がついたら、物語を書きはじめていた。

年のはなれた、すてきな男の人に育てられ、やがて妻になる女の子の物語だ。

それは、わたしの心を救い、来た道を見つめなおし、進む道を考えるための、物語だった。もちろん、自分を描くのははずかしすぎるので、ぜんぜんちがう立場の人の物語にする。

男の人は帝の皇子で、でも帝になれる資格がない、宙ぶらりん。お母さまはおさないころに亡くなっていて……いつもお母さまの面影をさがしている。

女の子も、お母さまを亡くしていて……お父さまは生きているけれど、その子をだいじにしていない。女の子は、さびしかった。

そんなふたりの、恋物語だ。

そのころ、西へ行っていたいとこの一家も、任期を終えて京へもどってきた。わが家へあいさつに来る。

けれど、そこにいとこのすがたはなかった。むこうで結婚したのかと思って、たずねると。家族は顔色を変え、知らなかったのか、と聞きかえす。

「もっと遠いところ……仏さまの国へ行ったのよ。」

「……え？　お姉さまが……亡くなった？」

宣孝さまを亡くしたわたしが、あまりにぼうぜんとしているので、これ以上悲しませたらなにをするかわからない、と父が知らせなかったのだ。

おばが、なみだをうかべ、こう言う。

「あなたからの手紙を、待っていたわ。よい結婚をして幸せそうなあなたからの手紙を、くやしいくらいにうらやましがりながらも、いつも楽しみに待っていた。」

わたしは、ふたたび、ぼうぜんとなった。

「お姉さま……どこへ行ってしまったの？　月の通り道のかなたにも、もういないの？　さがすこともできないくらい、はるかな遠くへ行ってしまったなんて。」

二度と会えない。

わたしは、四苦八苦という仏教の教えを、ふと、思い出した。宣孝さまが言っていたことがあった。

《四苦八苦があるから、人は生きるのがつらい。生・老・病・死の四つの苦しみはわかるよね。あとの四つの苦しみは、『愛する人と別れる苦しみ』『大きらいで、にくんでいる人に会ってしまう苦しみ』『欲しいものがどうしても手に入らない苦しみ』『心があるから苦しみを感じてしまう、という苦しみ』。

きみにとって……わたしもそうだが、最後の『心があるから感じる』が、とくに大きな苦しみであり、どうやらほかの人よりもつらいみたいだね。

まあ、だれだって、そう思っているだろうけれど、他人の心と自分の心、体からとりだして苦しみの重さを量って、くらべるわけにもいかないからね。》

その日から、わたしの書く「年のはなれた男の人に育てられる女の子の物語」には、影がさした。八つの苦しみを書くことが、この物語をより深く、生きた物語にする。

光があれば、影が生まれ、ものが立体的に見えるように。

わたしは、男の人を「光る源氏の君」と名づけた。

女の子の名は「紫」。昼はかならず夜に変わり、夜はかならず明ける。物も、時も、かならずうつろい、永遠に変わらないものなどない。それをあらわすのはなにかと考えて、たそがれや夜明けの空の色……紫にした。


その物語を書いていることが、わたしをなぐさめに来たおさななじみや親戚によってしだいに知られ、読みたいという人が現れた。

人とうまく話すのが苦手なわたしは、ことわることもできず、書いたものを貸すことになってしまった。いつのまにか『紫のゆかり』とか『源氏物語』とか、てきとうな題名がついて、その物語は回し読みされるようになった。

「続きが読みたい。」

「物語の前のほう、光源氏が生まれたころはどうなっているの？」

そう言ってたずねてくる人もいるし、感想の手紙をくれる人はもっと多かった。

わたしの書きたかったことを、ちゃんと読みとってくれる感想があるのがうれしくて、そういう人には返事を書き、すぐ友だちになった。

自分の書いた物語の、感想を聞ける友だちが何人かできて、わたしの心はすこしだけ晴れた。

（人生も、身の置かれた場所も、思うとおりにならないけれど、心というものは、そのときの居場所やまわりによって、変化できるものなのだわ。）

悪いことではない、変化するのも。

でも、身のまわりがどのようになれば、心が満足するのかまでは、わからなかった。

わたしの書いた物語が、あちこちでうわさになっていたらしい。

宣孝さまが亡くなって、四、五年がたち、賢子も読み書きを習うくらい大きくなったころ、とつぜんこんな話を、父が仕事先からもちかえってきた。

「香子、働いてみないか？　この家の主婦ではなく、*宮中の世話係として。」

「いやです。おおぜいの人たちのなかで働くのでしょう？　そういうの、苦手なのです。」

すると父は、こまった顔になった。

「わたしにはもう、出世の望みはない。このまま収入が増えるあてもなく、賢子に貧しい思いをさせながら育てていくことになる。

けれど、おまえには望みがある。じつは、中宮彰子さまの世話係兼文学の先生として、すばらしい物語を書けるおまえに、ぜひ働いてもらいたいと、たのまれたのだよ。」

中宮彰子さま！

藤原道長さまの一の姫彰子さまが、一条の帝さまの中宮となられた年の終わりに、皇后に進まれた定子さまが亡くなられた。それからすでに、五、六年がすぎた。

十三歳で中宮になられた彰子さまも、もう十八か十九歳になっておられるはず。

「でも……わたし、そんなりっぱな人じゃないわ。物語だって、出世したいから書いたわけじゃないもの。」

父はため息をついた。

「けれどなあ。おまえだって、賢子に十分な暮らしをさせたいだろう？　わたしがいきなり、ぽっくり死んでしまったらどうするのだ？　収入がなくなってしまう。

それに、そなたが世話係になれば、紙も筆も墨も、好きなだけいただけるという。貧し

＊宮中　天皇が住んでいるところ

くて紙が手に入らず、書きたくても続きが書けないでいることも多いではないか。」

父の言うとおりだった。おおぜいの人のなかに出たくない、気をつかいたくない、というのはわたしのわがままだ。ふつうなら、収入のいい仕事にさそわれ、働きに出られる機会を、ありがたく思ってのがさない。

紙が手に入らないことには、わたしもなやんでいた。読者の友人たちが、ときどき紙をさしいれてくれるけれど、それでは足りない。わたしの書きたい思いは、どんどん広がり、紙がないからという理由で書くのをがまんすることが、正直つらくなってきていた。

「賢子はわたしが育てる。なあに、おまえだって、この父の男手ひとつで育てたんだ。心配はなかろう?」

連日父に説得され、わたしはついにことわりきれなくなって、働きに出ることを決めたのだった。

「新年の行事でいそがしいので人手が必要」という理由で、その年もおしせまった十二月二十九日から、わたしは働きはじめた。

父の名が藤原為時なので、藤原という姓にちなんで、藤式部という仕事のときのよび名をいただいた。

なにがなんだか、わけがわからないまま、数日働いたのだけれど……とにかく、宮中はいやなところ、というほかなかった。おなじ世話係の女の人たちから、いつもじろじろ見られている。

「あの人が、『源氏物語』を書いたんですって。」

「なーんだ、意外と地味な人ね。がっかり。」

「きっと、藤式部さんは『わたしは、ほかのかたとはちがって、頭がいいのよ。』って心のなかでは思ってるわ。」

「そうよね。ぜんぜん笑顔を見せないし。つーん、としてて。」

そんなうわさ話が、いつもひそひそ、こそこそ、あちこちでささやかれているのが、耳に入ってくる。笑顔になんか、なれるはずがない。

夜もねむれず、いやで、いやで、なみだが出てきて……新年の行事が一段落した十日後くらいに、わたしは実家へにげ帰ったのだった。

それから、よびだしの手紙が来ても、わたしはことわりつづけ、けっきょく、父に説得されてしぶしぶ働きに出たのは、半年近くたってからだ。

するとまた、いやなことが起きた。

わたしの書いた物語を、帝さまがお読みになったそうだ。そして、こうおっしゃった。

「この作者……藤式部は、*『日本書紀』をとてもよく勉強しているね。でなければ、こんなふうにうまく引用して書けないよ。みんなに、読みかたを教えてほしいくらいだ。」

これをそばで聞いていたある世話係が、わたしに「日本書紀の大先生」とあだ名をつけ、言いふらしたのだ。どうやら、なぜかその人は、わたしのことをはじめから敵視していたようだった。

「『日本書紀の大先生』ですって？　漢字で書かれているから、女の人が読むのはむずかしいでしょうに。」

「漢字の文は、男の人が仕事のために勉強するものよ。女の人には必要ないのに。」

「おかしな人。」

*日本書紀　奈良時代に作られた日本最初の歴史書

「だから、頭がいいのをじまんしたいだけだって、言ったじゃない。」
こんなささやき声が、あちらこちらから、耳に入ってくる。わたしはまた、実家へにげ帰る。……そのくりかえしだった。

みんなの言うとおり、漢字の文——唐国の言葉で書かれた文は、男の人だけが読んだり書いたりするものだ。『日本書紀』もそのひとつだし、おもに唐国の本を読むために必要な知識だった。女の人は、ひらがなで読み書きをする。

父も漢字の文を読み書きする仕事にかかわっていたので、兄の惟規に、おさないころから熱心に漢字を教えた。わたしをひとりでほうっておけず、父はわたしもおなじ部屋に置いていた。

すると、わたしも漢字の意味をおぼえ、漢字だけの文を暗記してしまった。おさなかったわたしは、これで父からほめられ、より愛されると思って、熱心におぼえた。

なのに、

「ああ、なんと運のないことだ。この子が男の子だったら、よかったのに。」

父はたびたびそう言ってなげき、わたしは心の底からがっかりした。

(わたしは女の子じゃいけなかったの？　男の子じゃないから、幸せになれないの？)

女の子だから、わたしは幸せになれない……それが、わたしの心にしみついて消えない、悲しみになった。

わたしを深く理解してくれた宣孝さまも、すぐに失った。

実家にいると、賢子が心配してくれる。

「お母さま、元気ないのね。どうしたの？」

まだおさない子にはわからないだろう、と、わたしはじょうだんめかして答えた。

「いじわるな人たちがいるの。泣きたいわ。」

すると賢子は、ほおをふくらませ、顔を赤くして本気でおこった。

「それなら、賢子が、だめって、言ってあげる。」

わたしはおどろいた。

「いじわるが、わかるの？」

「お友だちと遊ぶとき、いじわるはだめって、おじいさまが賢子におっしゃるの。『賢子は、いろいろとわかるよい子だから、わからない子と、おなじようなことを言うものではない。』って。」

　そうか、と気がついた。

　わたしが「頭がいいとじまんしている。」と言われるのは、よく考え、冷静な言動をしろ、という父の教えがわたしの身についているからなのだ。それが、じっさいに顔や態度に出ているのだろう。

　父も不器用で、気を配ったり、人にすりよったりしての出世はへたでも、頭のよさが心の支えになっている人だった。

「ありがとう。でも、まず、自分で言ってみるわね。」

　わたしは、いじわるな人たちにそう言うのではなく、観察することにした。大人の世界では、変わらないことはどうやっても変わらないのだ。観察して、対策を考えるほうがいい。

（宮中で働いていて、なぜこんなにいやな人ばかりなのか。でも、にげてばかりでは、賢子にまで心配をかけるだけ。いやで、つらいけれど、わたしは大人で母親なんだから、しっかりしなくては。）

宮中へもどり、観察して、すぐにわかった。

（宮中のふんいきがよくないのは、彰子さまが世話係たちに、なにも注意をなさらないからだわ。しかったり、指示を出したりなさらない、おとなしいかたなのね、彰子さまは。いつも、だまって見ているだけだもの。）

そして、わたしを敵視していたり、すぐうわさを信じたりする人たちは、みんな、身分の高いお姫さま育ちだった。

（ただ、世間知らずなだけなんだわ。）

物語を書くという目立つことをしたおかげで、ここで働くことになったわたしは、「物知りの、かわいくない女」で、「友だちになったら、自分までかわいくないと思われてしまう」存在らしい。

それがわたしの出した結論だった。

（……自分というものがないのね。まわりから『かわいい』と思われるかどうかだけが、大切で。その『かわいい』の基準も、人からあたえられたもので、あいまい。だから、自分の考えをもち、目立って、もてはやされる人が、理解できなくてこわいんだわ。きらいとか、いやというより。……自覚はないかもしれないけれど。）

そうとわかれば、対策はある。目立たなければいいのだ。

わたしは、それからは、なにを言われても、あいまいなほほえみをうかべ、「あら、そうなの？」「まあ、そうなのね。」と、てきとうな返事をするだけにした。

肯定も否定もしないし、ましてや反論なんてぜったいにしない。

「藤式部さんがこう言った。」や「藤式部さんがわたしの言うことに賛成した。」と、受けとられるようなことも言わない。すべてあいまい。

するとたちまち、わたしが敵ではないと理解されて、いじわるをされることも、いやなうわさ話もなくなったのだ。

会話ははずまないけれど、いじわるされるよりはずっとましだった。もともと、他人のうわさ話ばかりでもりあがるような会話は苦手なのだし、これでとても楽になった。

ようやく、居場所を作りだしたわたしは、漢字がいっさい、書けない読めないふりを続けた。たとえ「一」という漢字であっても、書けないふりを演じたのだ。

これで「漢字の文が読める、日本書紀の大先生」というあだ名も、「物知りで頭がいいので、ひそかに他人を見下している。」といううわさも、全部消えたのだった。


すると、そっとわたしに声をかけてくる殿方が現れた。廊下ですれちがいざま、

「あなたはやはり、かなり頭のいい、冷静な人ですね。」

とささやかれる。一条の帝さまのもとでお仕事をされている藤原行成さまだ。字がお上手なことで有名な方だ。

「さあ、なんのことでしょう。お人ちがいでは？」

「わたしに、とぼける必要はないですよ。わたしも、今の宮中にはすこし不満があるのです。女のかたがたがみんな、なにも知らないのが品がいい、などと思っているところが。」

わたしが聞き流そうとしたら、行成さまは残念そうにこう言って去った。

「あなたとは友人になれそうだと思ったのですが、無理でしょうか。」

どういうことだろう、とわたしが考えていたら、また、ほかの人に見つからないようにして、わたしに声をかける殿方がいた。

道長さまの義理の弟の源経房さまだ。

行成さまと、似たようなことをおっしゃり、こう続ける。

「定子さまがお元気だったころは、世話係の女のかたがたも、知識や教養があり、われわれと会話や手紙をやりとりして、おもしろかったものです。はきはきと自分の思うことを言うのがいい……定子さまがそういうお考えのかたでしたから。」

わたしは、はっとなった。

(そうだったのね。やはり、お仕えする主人の性格で、宮中のふんいきは変わる。)

そのころのほうが、もっと気楽に働くことができたのだろうか。知識や教養が、よろこばれた場……信じられないけれど。

経房さまはうっとりと語っている。

「みんなが夢中になって読む本を書ける女性……あの人以来ですよ。われわれは、藤式部、あなたに興味がある。かつてのようなふんいきを、とりもどしてくれるのではと。」

「……いいえ……ごめんなさい。」

「それはまことに残念ですね。いくらかは考えてくださるかと、こうして声をかけたのですが。」

あの人、とはだれなのか、たずねるまでもなかった。源経房さまの手には、一冊の本がにぎられていた。

『枕草子』という題名が見える。

わたしの視線に気がついた経房さまは、照れ笑いした。

「あの人が残した本です。かつての大切な友人でした。お読みになりますか？　いえ、ぜひ読んでほしい。」

わたしの手に本をおしつけ、経房さまはすばやくいなくなった。なんども読みかえされて、はしがぼろぼろになった本をながめ、わたしはため息をついた。

その本を読んで、わたしは正直、ものすごくくやしかったし、同時にいらいらするというか、むしゃくしゃした。

「なに、この本。じまん話ばっかり。『わたし、頭がいいの、人とちがうのよ。』みたいな。」

そうつぶやいて、あ……、と声をもらす。

「それって、わたしが言われたことと、おなじだわ。」

おなじだけれど、わたしとはちがう。わたしは、そんなはずかしいことを自分からは書かない。

（うらやましい？　ちがう、ちがう、ちがう。）

こんな、なんともいえない複雑な思いにおそわれたのは、はじめてだった。

この本を書いた人とは、考えがあうかもしれない。わたしの物語を読んで、感想を教えてほしい。……でも、友だちにはなれそうにない。きそいあう仲にならなれると思う。

きっと、その人とは仲よくなれなくて、けんかするだろう。だからぜったいに会いたくないけれど……会ってもみたい。今、いっしょに働いている人たちよりは、みとめあえる気がする。

（……うらやましい。わたしはこの人を、うらやましがっている。こんなに自由に、どうどうと自分を表現してもゆるされる、自分で自分をゆるしてしまう、この人を。）
くやしいから、会わなくていい。

それからしばらくして、彰子さまからそっとよびだされた。

そのころのわたしは『源氏物語』の続きを、時間を見つけてはせっせと書いていた。紙も筆も墨も、たくさんいただいたので、書かなければ、だましとったことになってしまう。

それに、「あいまいでたいした意味のない会話」しかしていないわたしにとって、物語を書くときだけが、自由に自分の言葉を使える時間だった。

彰子さまも、わたしの書いた物語を楽しんで読んでくださっている。だから、よびだされたのも、続きをもっと早く書け、というお話なのかと思っていた。

ところが、向かいあってすわり、姿勢を低くしたわたしに、彰子さまは命じた。

「藤式部、わたくしに、『*白氏文集』を教えてほしいのです。」

*白氏文集　八二四年に前集五十巻成立。現存七十一巻

『白氏文集』というのは、唐国の*白楽天という詩人の詩集だ。当然、全部漢字の文で書かれている。

背すじがひやりとして、いやな気分になり、わたしはひれふしたまま、かぶりをふった。

「そのようなもの、わたしにはまったくわかりません。」

すると、彰子さまはわたしに近より、声をひそめておっしゃった。

「だいじょうぶよ。だれも聞いていないわ。『源氏物語』の感想についてお話をする、ということにして、こっそりと教えて。

わたくし……帝さまから、もっと愛されたいの。帝さまは、亡き皇后定子さまを、今も愛していらっしゃる。お心から消えていないのよ。亡くなったかたと、わたくしは、どうやって戦えばいいの？」

泣きそうになった彰子さまに、わたしはおどろいて顔をあげた。彰子さまは、口もとをひきむすぶと、思いつめたようにこう続ける。

「定子さまは、とても教養がおありで、帝さまと唐国の詩や歴史書について、お話をされ

*白楽天　本名は白居易

たそうよ。わたくしが追いつけるとしたら、その教養だけ。

おくびょうで、いつも人を傷つけるのではと思ってしまってはっきり言えない性格が、いまさら直るものでもないわ。直そうと、無理して心をけずるのは、けっしてよいことではない。

定子さまみたいな明るい人にはなれなくても、せめて、帝さまのお好きなことについて、知りたいの。知ろうとしている努力を、けなげでかわいらしいと思っていただきたい。なんにも知らないほうがかわいい、というのは、この帝さまの宮中ではちがうと、わたくしだって気がついているのよ。男のかたがたの態度から。

場所のふんいきや、価値観は、そこの主人で決まるものなのね。ここの主人――一条の帝さまは、読書がお好きで、教養を重んじるかたよ。」

(彰子さまは、ものごとをよく考えておられるおかただったんだわ!)

わたしは胸を打たれた。主人の彰子さまがしっかりしていないから、こんなふんいきなのだと思っていた。

でも、彰子さまも、本当はおつらかったのだ。

（このおかたにこそ、わたしはお仕えすべき。やっとわかった。）

わたしはゆかに額がつくほど、深く頭を下げた。

「かしこまりました。わたしの力のおよぶかぎり、お役に立ちたくぞんじます。」

彰子さまとのふたりだけのひみつの勉強は、だれにも知られなかった。

けれど帝さまと道長さまは気がつかれたようだ。色あざやかな紙に美しい文字で書き写してある、漢字の本を、たくさん彰子さまに贈ってくださった。

努力がむくわれて、彰子さまは感激なされたのだった。

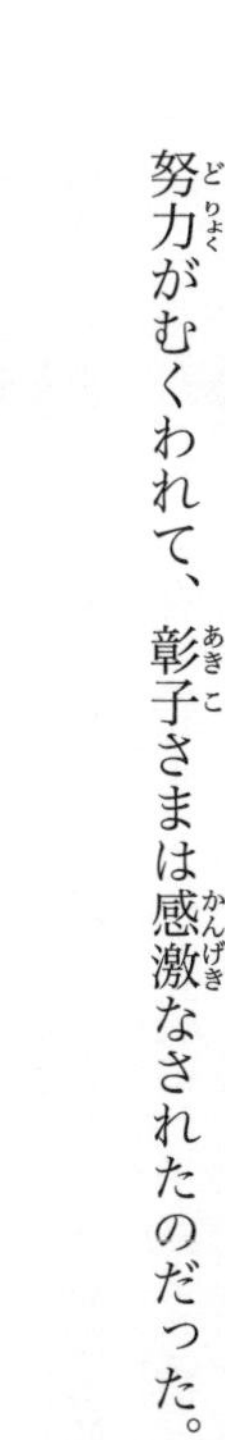

四 役目は、記録をすること

それから数年。

わたしが宮中で働くことにもなれ、友人とよべる仕事仲間も何人かできたころ——寛弘五（一〇〇八）年の春、彰子さまがお腹にお子さまを宿されたとわかった。

ご出産は秋も深まったころになる。中宮になられて八年、二十一歳になって、はじめてのお子さまだ。

道長さまと、奥さまで彰子さまのお母さま*源倫子さまのおよろこびようは、大変なものだった。

宮中での生活になれたとはいえ、それでもときどき、

（人のなかで、気をつかって働くのは、いやだ。つらい。ひとりになりたい。）

という思いがわいてきて、わたしの心を一気にしめる。どうしようもない。

なやみを他人に相談して、すっきりする人が、本当にうらやましい。わたしは、だれかに話すと、よけいむなしくなる。

そういうときは、とにかく書くのだった。ぐちではなく、物語や歌を。

仕事がいそがしくて、自分の部屋にこもったり、実家に帰って書く余裕がないときでも、書いている文を想像し、気をまぎらわせた。

そうやってみても、けっきょく、

「落ちついた場所で、物語の続きを書きたいのです。」

と理由をつけては、お休みをいただいて、たびたび実家にもどっていた。

その春の桜の季節のこと、奈良の興福寺から、みごとな八重桜の枝が道長さまにおくられてきた。八重桜は奈良にしかない、めずらしい花だ。道長さまはその桜を、帝さまにさ

＊源倫子　平安時代は、結婚しても名字が変わらなかった。紫式部の、はとこにあたる

しあげることにした。

その八重桜を宮中で受けとる役目を、わたしは道長さまから命じられた。

「わたしでございますか？　こんなおばさんより、若くてきれいなかたにお願いしたほうがよろしいのでは。」

人を通じて、そうもうしあげたのが認められ、わたしのすいせんした伊勢大輔さんに決まる。

伊勢大輔さんは、最近いっしょに働きはじめたばかりの若い女の人だ。ほかのかたがたとちがい、本当は頭が切れるけれど、それをうまくかくして、機会をうかがっていると感じた。なので、すいせんしてみたのだ。

「光栄です、藤式部さん。」

「がんばってね。」

という短い会話しかしなかったけれど、伊勢大輔さんがすいせんをすなおに受け入れてくれたのが、わたしはうれしかった。

八重桜を受けとる儀式の最中、伊勢大輔さんが桜の枝を手にしたとたん、打ちあわせにないことを、そばにいた道長さまが言いだした。

「せっかくだから、その桜の歌を詠みなさい。」

建物の片すみで見守っていたわたしは、あせった。ここでうまく歌が詠めなかったら、伊勢大輔さんが大恥をかいてしまう。

どきどきしながら伊勢大輔さんをちらっと見ると、彼女は落ちついたようすだ。きれいな声で歌を詠む。

『いにしへの　奈良の都の　八重桜　けふ九重に　にほひぬるかな』

(遠いむかし、奈良の都でさいていた八重桜が、きょうは平安の都の宮中で、美しくさきほこっています。)

九重は宮中という意味だ。八重桜にあわせた表現に、人びとは感心し、伊勢大輔さんは、歌がじょうずだとして、評判になったのだった。

すいせんしたわたしも、ほっとした。自分の感じていたことは、正しかったのだ。

その儀式のあとで、わたしに道長さまから手紙がとどいた。

『藤式部は、じつによく、人のことを見ている。伊勢大輔があのようにすぐれた者だと、わたしは知らなかった。

物語を書けるのも、とてもよく周囲を見ているからだと思う。そこで、そなたを見こんで、だいじな仕事をたのみたい。

中宮さまのご出産は、実家であるわたしのやしきでのことになるのだが、その出産前後のようすを、くわしく記録してほしい。藤式部、そなたなら、きっときちんと書いてくれるはず。信頼しているよ。』

道長さまのご命令とあらば、ことわることなどできない。彰子さまがくださる紙や墨や筆も、もとはといえば道長さまが彰子さまにさしあげたものを、分けていただいているのだ。こうしてわたしは、彰子さまご出産の記録係をすることになった。

彰子さまは秋になった七月*、宮中を出て、土御門御殿とよばれるごうかな道長さまのおやしきへ、お帰りになった。

お腹はすっかり大きくなられ、赤ちゃんが元気に動くのがわかる、と彰子さまは笑っておいでだ。とても幸せそうだった。帝さまから、愛していただけていると、実感しておられるのだ。

わたしたち世話係も、三十人ほどが彰子さまにつきそって、土御門御殿へうつった。わたしは、いちばん仲よしの小少将さんと、いっしょに牛車に乗った。

小少将さんはおっとりしていて、かわいらしい顔立ちで、いじわるなことを言わない、やさしい人だ。すこし年のはなれた妹みたいで、わたしは、いつもかわいいと思っている。

このごろはなるべく、小少将さんとともに行動することにしていた。

女は、ひとりでいるとなぜか、ほかの女の人たちからいじわるされやすい。本当はひとりが好きでも、それができないのなら、せめていちばん気楽な人といっしょにいる。

それで、他人といてもかなり楽しくすごせるときもあるのだと知った。

八月も半ばとなった。

*七月　当時の暦は今と月がずれていて、秋の季節を七〜九月と呼んだ

秋の気配がはっきりときわだってきたこのごろ、土御門御殿のお庭のようすは、なんともいえないほど美しく、心が洗われる。

（秋って、これほど色あざやかだったかしら。これは、わたしが見たことのある秋と、おなじものなのかしら。）

夏からずっと、雨が続いていたからかもしれない。農民たちは雨が多すぎて大変だとかで、道長さまは雨がやむように神仏にお祈りをせよと、お命じになったらしい。

（雨の夏……それでも、うだるような炎暑より、彰子さまのお体にも庭の草木にもよろしかったのでは。）

まことに身勝手ながら、わたしにはそう思われた。

お庭の池のまわりに立つ木々、水の流れのほとりにある草むら、それぞれが思い思いの色にそまってきた。空もすんで、青の色がすばらしい。日が暮れれば、すずしい夜風の音と、絶え間ないせせらぎの音が、夜のあいだもずっと感じられる。

彰子さまもお庭をごらんになり、世話係のわたしたちと雑談をなさって、出産までの時をすごされていた。

「いかがですか、彰子さま。」

「秋の女神、竜田姫が、衣を新しくしたみたいですわね。」

「今年はまた、いちだんとあざやかで。」

「ええ、わたくしも、こんな新しい衣がほしいけれど、人の手で作れるものかしら。」

などと、笑いあっておられる。

大きなお腹で、彰子さまはそうとうお苦しいだろうに、その苦しさをさりげなくかくし、

「なんともないわ。」

と、笑顔でおっしゃられる。

美しい景色を後ろに、その笑顔にふれた一瞬、うっとりして、

（人生は楽ではない。どうせそうなら、にげられないなら、せめてこのようにお気づかいのすばらしいご主人を、さがしだしてでもお仕えするべき。）

と、いつも（人のなかにまじって働くなんて、つらい、いやだ。）と感じているくせに、つい思ってしまったりもする。

彰子さまのご安産を祈る僧たちの読経は、昼も夜も、御殿のはなれた部屋で続いてい

る。その声を聞きながらねむりにつき、その声で目が覚める。まだ夜明け前で、廊下の戸口にある自分の部屋の御簾のすきまから、わたしはなんとなく外をながめた。

（あら？　もう、だれかがいる。）

ぼんやりと明るくなりかけた庭にうっすらと霧がかかり、それがまだ露となって落ちてこないような朝早くだというのに、道長さまがお庭を歩いておられた。

「ほら、水の流れが落ち葉でつまってしまう。そうじしなさい。」

と、使用人の男たちをよびつけてらっしゃる。

「おや、そこで見ているのは……藤式部だね？」

道長さまはわたしに気がつき、花盛りの黄色い女郎花を一本、手折るとほほえんで近づいてきた。

（いやだわ、お化粧もしていないのに。）

わたしはいそいで御簾をはなれ、几帳のかげにかくれた。

（道長さまのおすがたはごりっぱなのに、わたしったら寝起きのままで、こんな見苦しいかっこう。見られたらどうしよう。）

　すると道長さまは御簾をめくり、几帳の上から女郎花の花をさしいれて、見せてくださった。

「おはよう、藤式部。どうかね、この花。あざやかな黄色で、きれいだろう。感想を聞かせてくれ、早く、早く。」

　そうおっしゃるので、それを幸い、わたしは部屋の奥にある机のところまでにげた。いそいで感想の歌を書く。

『女郎花　さかりの色を　見るからに　露の分きける　身こそ知らるれ』

（女郎花のきれいな色は、秋のめぐみの露を、たくさんもらったからなのでしょう。それを見ると、露にめぐまれず、きれいになれなかった自分がはずかしいのです。）

「おお、さすが藤式部、本当に早いな。返事を書くから、すずりを貸してくれ。」

　顔をふせ、手をのばして紙をさしだすと、道長さまは感心した。

　いただいた返事の歌は、こうだった。

『白露は　分きてもおかじ　女郎花　心からにや　色の染むらむ』

（露はどこにでもおりるし、そのめぐみをあたえる先に区別などありはしない。きれいに

なれるかは、受けとったものの心しだいだろう？　おまえだって露は受けたはずだから、その気になればいいだけ。きれいになれる、今からでも。）

そうよね。そのとおり。

ありがたい、やさしいお言葉。もったいないくらい。

でも、それができたら、なやみはしない。

うじうじ考えてばかりでは、まわりに心配をかけるとわかっていても、かんたんには心を変えられない。ただ、心配をかけるような自分がきらいになるだけ。

（きれいになりたくないわけじゃない。明るくなりたくないわけじゃ……。でも、こうやって考えてばかりいるからこそ、わたしは、わたしが生きていると感じられるの。）

苦しいけれど。

ばかみたいだけれど。

考えているから、生きていられる。

ぼうっとしているわたしを置いて、花とそれぞれの歌を書いた紙を御簾の外の縁側に残し、いつのまにか道長さまは行ってしまわれていた。

われに返ったわたしは、いそいで、今のできごとや気持ちを紙に書きつけた。

「あら、どうしたの、藤式部さん。朝からこんなに書き散らかして。」

と、起きてきた小少将さんがおどろく。わたしは書いたものを、「読んで。」と手わたした。

「こんな日常のちょっとしたことを、何年たっても、きのうのできごとみたいに思い出せるときがあるでしょう?

でも、それはたまたま起きることで、どのできごとをそうしておけるか、選ぶこともできなくて……。きれいにわすれてしまうことのほうが多いから、わすれたらもったいないと思ったとき、書いておくの。」

わたしがそう言うと、小少将さんもうなずいた。

「本当にそうね。わすれない、と、ちかってもわすれるものだけれど、歌にして書いて残せば、読みかえしたときに思い出すもの。」

「書きとめることは、形をもたなくて生まれる言葉に、形……命や体をあたえることなのよ。それは言葉を口にした人よりも、長い命になるの。道長さまに記録係もたのまれているし、この秋のことは、どんな小さなことでも書いておくことにするわ。」

九月九日は重陽の節句。

菊の節句ともいって、菊の花に綿をかぶせておき、朝、おりた露でしめらせる。その綿で顔をふくと、若返るというのだ。

その綿が、倫子さまからわたしにも届けられた。もってきた兵部さんがこう言う。

「奥さまが、ご自分のお部屋から、こちらへおいでになり、『これは藤式部に。』っておっしゃって。『すっきりと、めいっぱい顔をおふきなさい。老いをぬぐいすてられるように。』と。」

「まあ、もったいないこと。お気づかい、まことにありがとうございますとお伝えを……

いいえ、待って。」

伝言だけではもうしわけないので、わたしはお礼の歌をいそいで紙に書いた。

『菊の露　若ゆばかりに　袖ふれて　花のあるじに　千代はゆづらむ』
（せっかくの菊の露ですから、わたしはちょっと若くなるていどにふれておいて、あとは花のもち主である奥さまに、全部おゆずりします。千年も若く生きられますように。）

けれど、書いているあいだに倫子さまは、ご自分のお部屋へ帰ってしまわれたらしい。わざわざ届けてもらうのも、兵部さんにお手間をかけてしまうので、歌も綿もそのまま手もとに置いた。

その日の夕方だった。

空に月がのぼり、美しい光であたりを満たすころ、彰子さまは縁側にひかえている世話係にむけて、ご自分で作られたお香をたいておられた。どんな香りか試しておいでだったのだ。

「まあ、よい香りでございますこと。」

「お庭の景色が、いちだんとすばらしく見えますわ。」

「つたの葉の色が、もっと赤くなるのが待ちどおしいですわね。」

わたしたち世話係が話しかけると、彰子さまはほほえんで、

「ええ、そうね。」

とおだやかにおっしゃる。けれど、ふいに苦しそうになられ、お腹をおさえて、うずくまってしまわれた。

「彰子さま？」

「もしや、お産がはじまるのでは。」

「みなさん、彰子さまを奥のお部屋へお連れして。」

にわかにさわがしくなり、わたしも緊張で胸がどきどきしてきた。出産は命がけのことなのだ。

「交替でおそばにつきそうので、藤式部さん、あなたは先に休んでおいて。」

そう言われたので、わたしは自分の部屋に入る。ほんのちょっと横になろうと思っていたのに、つい、ぐっすりと寝てしまったらしい。

真夜中になり、あたりのそうぞうしさと、がやがやした話し声に起こされた。

「本当に、ご出産になりそうよ。」

「お産のお部屋を整えなくては。」

十日の夜明け前、奥の間をお産のお部屋へ模様替えをした。出産は、清潔な真っ白い部屋でするのが、ならわしだ。つきそう世話係のわたしたちも、全身真っ白な衣に着替える。

彰子さまは真っ白な*御帳台へおうつりになった。

部屋を白くするのは、男のかたがたの出番だ。道長さまや息子の頼通さま、お手伝いのかたがたが集まってくる。頼通さまは彰子さまの上の弟君で、十七歳というご年齢よりも大人っぽい感じの、落ちついたかただ。

「そこのふすまを、布でおおってくれ。」

「殿、こうですか？」

「若君、おそれいりますが、そちらのはしを、しっかりとおさえていただけませんか。」

というふうに、わいわい言いながら、御帳台のまわりのかべやふすまを白い布でおおったり、白い敷物をもってうろうろしたりで、とにかく大さわぎになる。

しばらくばたばたして、真っ白い部屋が完成した。

彰子さまはたいそう不安そうに、横になったり起きあがったりしながら、この一日を真っ白な御帳台ですごされた。

　御帳台のまわりにすわって、出産のときをただ待つ世話係たちで、部屋はぎゅうぎゅうづめだ。わたしも、記録のためによく見なくては、とそばに行ったら、おしこめられそうになって、あわてて退散した。みんなの後ろのほうから観察する。

（身動きもできないじゃない。ここにいたら、頭がのぼせて、ぼーっとなってしまう。）

　こんなにも混雑しているので、今朝になってから知らせを受けて、実家からもどってきた世話係の人などは、かわいそうに、なかに入れてもらえず、仕事につくこともできないようすだ。

「入れてください。大切な日に、わたしにもお役目を。」

と、御殿の入り口のほうで大声をあげている人がいる。部屋のなかもざわざわして、じつにそうぞうしい。

「ちょっと、わたしの衣をふまないでください。」

「ふんでいるのは、そちらでしょう？」

＊御帳台　畳をしいた寝台を、つりさげた布でかこんだもの

「動けない！　わたしの衣の裾や袖の先は、どこへ行ってしまったの？　ふまないでったら。ああ、もう、いや！」

と、年配の世話係には、彰子さまが心配で不安なのと、動けなくてこまったのとで、泣きだしてしまう人もいた。

そんなさわぎだけれど、記録係のわたしは、すきを見て、ちょこちょこと物陰にかくれては、紙にみんなのようすをこっそり書いていた。

宮中で仕事をしているはずの行成さまも、気になってしまうのか、たびたびようすを見においでになっていた。

十一日の明け方、こんなに人がいてさわがしくては、彰子さまもつらいだろう、と道長さまが人びとをべつの部屋へ移動させ、遠ざけた。

二部屋のあいだのふすまをとりはらってできたお産のお部屋には、倫子さまがあらためてお選びになった、必要な数の者たちだけが入る。御帳台をおおった布のなかには、倫子さまと*宰相さんともうひとりだけが入り、わたしたち七、八人の世話係が、そのすぐ外で待つことになった。

わたしたちの後ろに立てた几帳のむこう、せまい通路にも、三人おられる妹君さまたちの、それぞれの世話係が、何人もようすを見にやってくる。入れ替わり立ち替わりなので、混雑でまともに通れず、すれちがうことすらできなくなってしまう。

そのなかで、となりの部屋で安産を祈る僧たちの声と、道長さまの指図する大声がひびいていた。頼通さまと、下の弟君――元気者で十三歳の教通さまがやってきて、

「魔除けのおまじないだ！」

「悪いものは去れ！」

と、大声を出しながら白いお米を、部屋じゅうにまきちらし、それが雪みたいにみんなの頭の上へふりつもる。

緊張感で、頭が、くらくらした。

（本当に大変。いつまで続くのかしら……永遠に終わらない気がしてきたわ。）

＊宰相　本名は藤原豊子。道長の異母兄道綱の娘で、彰子のいとこ

五 若宮さまのご誕生

長い長い時間がすぎたようでいて、じつは丸一日も続かなかった。十一日の正午、ぶじにお子さまがお生まれになった。

「おぎゃあ、おぎゃあ、おぎゃあ。」

と元気な産声がひびき、御帳台のなかから、世話係の声があがる。

「男のお子さまにございます!」

いそいで、ほかの世話係の何人かが御帳台をのぞきこみ、たしかめて知らせた。

「若宮さまが、ご誕生あらせられました。」

「お健やかにございます。」

おお、とみんな感激した。わたしたち世話係も、道長さまの側近の殿方も、今朝早くか

らはもう、ごちゃごちゃに入り交じって待っていたので、おたがいによろこびあう。

「よかった、まことによかった。」

「おめでとうございます！」

秋の朝霧につつまれて、方向を見失い弱りはてていたようなわたしたちだったが、ご安産だったうれしさで、空が晴れて朝日がさしこんだような気持ちになった。もう真昼だというのに。

世話係の小中将さんは、となりにいた源頼定さまとよろこびあった。そのあと、こんなふうに言いあって、あきれ、笑いだしてしまった。

「ところで、あなたはだれ？」

「わすれるなんて、ひどいですわ。小中将です。」

「だって、その顔、化粧がぐちゃぐちゃで……。」

小中将さんは、いつもきっちりとお化粧してくる人だ。

この日も朝にちゃんとお化粧をしてきたのに、汗となみだでくずれてしまい、だれだかわからないほどだったのだ。それを言われてもおこらず、笑って大よろこびしたのだから、いかにみんながうれしかったか。

ずっと緊張して、彰子さまにつきそっていた宰相さんも、すっかり人相が変わってしまっていた。そういうわたしも、かなりひどい顔になっていたはず。でも、そんなのはみんなわすれ、ただよろこびだけをおぼえているのだった。ありがたいことに。

ほっとして、わたしたちはいったんそれぞれの部屋へ帰った。

いつものように自分の部屋から外を見ると、廊下には、側近の殿方が集まっていた。待機していた部屋を下がったものの、自宅へもどる気分ではないらしい。

そこへ、あれこれと使用人たちに指図をなさりながら、道長さまがおいでになった。

「これ、おまえたち。*遣水の落ち葉をそうじしなさい。何日か、みな、心も手もとも、おろそかになっていたようだな。まあ、しかたがないが。」

たしかに、庭は何日もほったらかしだったらしく、落ち葉がつもっている。

「殿、まことにおめでとうございます。」

*遣水　庭園の池に向かって流れるように水を引き込んだもの

「心からのお祝いを、もうしあげます。」

殿方たちはみんなごきげんで、道長さまにお祝いの言葉を伝える。

心の内には心配ごとがある人もいるかもしれないけれど、今だけはわすれておられるような感じだ。

なかでも道長さまの側近の藤原斉信さまは、ふだんは得意げにされるようなかたではないのに、うれしさが表情にあふれ、よろこびがわかってしまう。それも当然だと思う。また、道長さまのおいの藤原隆家さまと藤原兼隆さまも縁側にすわってごじょうだんをかわし、笑ってらっしゃった。

(隆家さま……笑えるのね。いえ、やっと今だからこそ、笑えるのかしら。)

隆家さまの姉君……皇后定子さまは、八年前、姫宮さまのご出産のときに、亡くなられたとうかがっている。一条の帝さまのお子さまがぶじに生まれるのは、それ以来だった。

(そう、斉信さまも、経房さまも、行成さまも、隆家さまも、定子さまのことをおぼえているかたがただから、こんなにも心配し、こんなにも安心し、よろこんでおられるのだわ。)

宮中へお知らせに行った頼定さまが、帝さまから、若宮さまのお守りとなる御剣をあずかって、もどってこられた。

若宮さまのへその緒をお切りするのは倫子さま。*乳母も決められた。

夕方になり、若宮さまがはじめてお体を清める儀式をおこなう。宰相さんがお湯で洗ってさしあげた。部屋は真っ白なまま、みなの衣も白いままだ。

儀式を終え、若宮さまをだっこした道長さまを、お守りの御剣をもった小少将さんが先導する。まわりでは頼通さまと教通さまが、魔除けの白いお米をまた大声を出してまくので、そばでお祈りをしていた僧たちの、髪をそった頭にあたってしまう。

髪がないので、お米はふりつもらずに顔へとすべりおち、

「目に入ってしまいます。」

と、僧たちが扇で頭をかばう。そのようすがおかしくて、みんなで大笑いした。

魔除けには弓の弦をはじいて、びぃん、びぃん、と鳴らしたりもする。庭に二十人がならんで、その音を出している。

*乳母　母親に代わって母乳をあたえて、育てる仕事

それから、学問の博士も来て、唐国の歴史書『史記』を朗読する。

こういった儀式が七日ほど続くのだけれど、わたしが全部を見ていたわけではない。できるだけ記録はしたが、するべき仕事がたくさんあった。

お産のための、なにもかもが曇りなく真っ白な部屋で、世話係みんなの顔色と長い髪だけがいつもよりもはっきりと目立ち、動いているのを見ていると、白い紙に墨一色で書いた絵に、黒々と美しく髪だけが生えてきたみたいに思えた。

生きて動く絵……髪が強い力を得て、生きている絵だ。

こわい……。

なぜか落ちつかなくなり、わたしは昼間はなるべく自分の部屋にいて、夜に働くようにした。

夜のともし火で、白い部屋の白いみんなを見た。

白一色の衣なのだけれど、白くてつやつやした糸での刺しゅうは、豪華なものだし、銀のかざりひもに、銀の模様……。それに扇はまるで、雪が深くつもった山を月明かりで見わたしているときのように、きらきらしていた。

目がちかちかしてきて、おなじようなものばかりで、どこがどこだかわからなくなって、まるで鏡をならべたみたいだと思った。

おなじものがたくさんの鏡に映っている……また、なんだかこわくて、くらくらした。

九月十三日、十五日、十七日とお誕生祝いの儀式がある。お食事の出る宴だ。
生後三日目の十三日のお祝いは中宮の役人たち、五日目の十五日は道長さま、七日目の十七日は朝廷が主催する宴になる。このたびは頼通さまが主催する九日目のお祝いまで用意された。
十五日の道長さま主催の宴には、やってきた貴族のかたがたばかりではなく、おともの者たちにも、庭で軽い食事がふるまわれる。
満月の下、池のほとりにかがり火がたかれ、軽食をならべる男の使用人たちも、うれしそうな顔で、おしゃべりをしながら歩きまわっている。

集まったおともの者たちがぎっしりと、岩のかげや木の根もとに腰をおろして、笑顔で語りあっている。

(ここの御殿で働く者たちは、みんなうきうきして、だれとでもおじぎをかわしている。いそがしいことが、いやなのではなく、最高に楽しそう。)

夜がふけて月が高くなり、明るく照らされた縁側や廊下には、そうじ係や雑用係の女たちも、みんなせいいっぱいのおしゃれをして集まってくる。すわるともう、大混雑でだれも通れない。

わくわくする。うきうきする。だんだんうわついた気分にそまってきた。

わたしは、中宮さまの御前にならべられたお膳と、着かざったお世話係たちのようすをだれかに見せたくなった。

奥の部屋で、彰子さまと若宮さまのご健康をお祈りしていたお坊さまのところへ行き、屏風をおしあけて、

「この世でこんなすてきなことは、二度と見ることがないでしょう。」

と言ってしまった。お坊さまも、部屋にすえてある仏さまの像をおがまず、

「ああ、なんとありがたい、ありがたい。」

と、宴の明かりのほうをふりかえって、手をすりあわせてよろこんでくれた。

宴のあと、道長さまや貴族のかたがたは、転がして出るさいころの数字をあてる、という賭けをおはじめになった。賞品はきれいな紙だ。

（もりあがって大さわぎだけれど、お上のかたがたが紙を……「かみ」が「かみ」をとりあうなんて、なんだかおかしいわね。）

わたしが笑いをこらえていたら、後ろからつつかれた。

「ねえ、藤式部さん。みなさま、お酒に酔っていらっしゃるようだけれど、わたしたちに『余興で歌を詠め。』とお命じになられたら、どうしましょう。」

ひとりがそうわたしに言うと、世話係のみんなが心配しはじめる。なので、わたしは答えた。

「それでは、あわてないよう、先に考えておきましょうよ。わたしは、ええと……。」

いそいで歌を考える。みんなもそれぞれ、首をかしげて考えだした。

わたしはこんな歌を作って、紙に書いてみんなに見せた。

『めづらしき　光さしそふ　さかづきは　もちながらこそ　千代もめぐらめ』
（新たな栄光のような若宮さま。そのお誕生祝いの席に、満月の光がそそぎ、みなさまのさかずきにはお酒がそそがれて、なんておめでたいのでしょう。満月が千年先も天にあるように、このよろこびの宴の話を、千年先までわたしたちは伝えたいものです。）

「あら、すてき。」

「言葉はいいけれど、発表するときは、詠いかたにもよく気をつけなきゃね。」

などと、こそこそとささやきあっていると、

「もっと酒を運べ。」

「そっちのお膳、かたづけて。」

と、いろいろと仕事ができて、働いているうちに真夜中になってしまった。けっきょく、だれひとり歌を発表することもなく、宴はおひらきになった。

　十六日の夜は、月がきれいだし、葉が色づいた景色もすてきなので、わたしたちは池で舟に乗って遊んだ。いつもの、人それぞれいろんな色の衣よりも、白一色にそろっている

ほうが、髪の美しさがはっきりとわかる。月の光に照らしだされて。

内裏から女房たちがお祝いにいらっしゃると、道長さまは上機嫌でおもてなしになり、からかったりなされる。贈りものまで、それぞれにさしあげた。

十七日は朝廷主催のお祝いの宴だ。

*藤原道雅さまが、帝さまからのお使いとして、お祝いの品の数々を書いた目録を、彰子さまへ運んできた。

道雅さまは、皇后定子さまの兄君伊周さまのお子さまで、そのむかし伊周さまと隆家さまが、都から追放される事態になったときは、まだおさなかったそうだ。

「ぼくも行きたいーっ。」と泣いたおさな子も、今はもう、十七歳におなりだ。

この日の、彰子さまや朝廷から貴族のかたがたへの贈りもののつつみもすべて白くて、白一色の儀式が続いたけれど、それも今夜でおしまい。

翌朝、わたしたちは元どおり、色とりどりの衣にもどった。

*藤原道雅　小倉百人一首「いまはただ　思ひ絶えなむ　とばかりを　人づてならで　いふよしもがな」の作者。この歌は、この時点から九年ほどあとに詠まれる

六　お祝いの儀式

　彰子さまは十月十日すぎまで、御帳台のなかで休まれた。わたしたち世話係は、そばの部屋に昼も夜も交替でひかえている。

　若宮さまは、いつも世話係にだかれてすごされる。けれど、昼だけでなく夜中だろうと明け方だろうと、道長さまがとつぜんおいでになっては、世話係の腕のなかから若宮さまをだきとろうとするのだ。

　かわいそうに、若宮さまをだいてぐっすりねむっていた世話係が、いきなり起こされて、ねぼけてしまい、はずかしい思いをすることもあった。

　生まれたばかりでまだ首もすわっていない、ふにゃふにゃした若宮さまを、道長さまは、

「ほーら、高い、高い。」

とだきあげてかわいがったりなさる。なので、わたしたちは、いつもはらはらした。でも、それも、おめでたいことなのだ。

あるとき、道長さまがだいてらっしゃると、若宮さまがおもらし*をなさり、道長さまの衣におしっこがかかってしまった。

「まあ、大変なこと。殿さま、お召しかえを。」

「こちらの火鉢でかわかしますので、お貸しくださいませ。」

わたしたちがもうしあげると、道長さまはぬれた衣をぬぎながら、お笑いになる。

「ああ、若宮さまのおしっこにぬれるとは、なんとうれしいことだ。こうして、ぬれた着物をかわかす……長らく夢見ていたことだよ。」

彰子さまが、中宮となられてから八年。道長さまはずっと、お子さまのご誕生を待たれていたのだ。およろこびになるごようすに、わたしたちも感激したのだった。

*おもらし　このころのおむつは、薄い布でしかなかったか、まったくしていなかったとされる

やがて、帝さまが若宮さまにお会いになるため、この土御門御殿においでになる日が近づいた。

十月十六日に、帝さまがおいでになると決まり、御殿の庭を道長さまはかざりたてた。めずらしい菊をさがしては根ごと掘ってこさせ、庭に植えさせる。白い菊の花びらが寒さで紫色に変わったものや、黄色が輝くようにみごとなものなどだ。

菊は若返りの力をもつ花。朝霧の流れるなかにその菊の色を見ると、「年をとってしまう」ことも、晴れてゆく霧とともに消えていくような気がする……はずなのだけれど。

いつだって、わたしにはそうは思えなかった。いえ、たとえ思っても、思いつづけられはしなかった。ふっ、とした*刹那に、魔がさすようにして、わたしの心が曇る。

（秋が終わり、あれほど色づきが美しかった葉は、散ってしまった。生まれた若宮さまは、日々お育ちになられる。けれど、それは、時がうつろうということ。

時は、だれにも止められない。永遠に変化しないものなんて、ない。）

……また、だ。

どうして、わたし、こんなことを考えてばかりなの？

こんなこと、考えなければ、季節のうつろいを「風流だ。」「雅だ。」と、楽しむだけですむのに。

（どんなにすばらしいもの、美しいものを見ても、『いつかは終わってしまう。』と考えてばかり。悲しくて、苦しくて、気が重くて、なんでそんなことにこだわるんだろうと、自分がいやで……。）

でも、考えないわたしは、わたしではない。

もし考えなくなったら……そのほうが、こわい。

自分がどこにもいなくなってしまう。

（ああ、だめ、やめよう。）

いくら考えたって、解決はしない。答えなんか出ないから。

夜になると、ねむりに落ちる前にはたびたび、そうやって考えてしまう。

きょうもわたしは生きていた、その証拠みたいに。

＊刹那　瞬間

そして夜が明けると、わたしの目に、庭の池で泳ぐ水鳥たちが入ってくる。

（なんのくったくもなく、気楽そうに泳いでいる。優雅に、水面をすべるように。

でもあの鳥たちも、水の下では必死に足を動かして、しずまないようにがんばっているのだわ。ここからは見えないけれど。）

わたしと、おなじ。わたしの心のなかのうずまくものは、外からは見えない。

十月十六日、帝さまがおいでになる当日になった。
新調した舟を池の岸辺近くによせ、できぐあいを道長さまがごらんになる。船首につけられた竜の頭のかざりや、「鷁」という伝説の鳥の首のかざりは、まるで生きているみたいによくできていて、色あざやかで美しい。
「おいでになるのは、*辰の刻ですって。」
「それなら、朝早くからお化粧しなくちゃ。」

と、みんなは夜明け前からせっせと、お化粧や着替えをする。

実家にもどっていた小少将さんが、夜明けごろにやってきた。なので、わたしは彼女とおたがいの髪の毛をとかしあった。背丈くらい長いので、自分では手が届かないのだ。

「朝からおいでになるって、本当かしら。」

「どうせ、お昼近くになるわよ。いつも、おっしゃっている時刻より、かならずおそくいらっしゃるもの。」

と、つい、のんきにしてしまう。物入れの箱をあけて扇をさがしたら、いつも使っている、ありふれたつまらない絵のしか見つからなかった。

「新しい扇、注文しておいたのに、まだ届いてなかったわ。」

「あら、本当。早くもってきてくれないかしら、工房の人。」

などとしゃべっていたら、帝さまの行列の先頭で鳴らされる鼓の音が聞こえてきた。

「いやだ、こまったわ!」

あわてていつもの扇をもって、息を切らしながら、集合場所にかけつける。

*辰の刻　午前八時ごろ

（はあ、はあ、失敗した……。かっこう悪いったらないわ。）

帝さまのお乗りになった輿をむかえるとき、池の舟で音楽が演奏される。それはとてもすばらしい曲だった。

でもわたしは、輿をかついでいる男の人たちが、御殿の階段を上ったあと、体を折り曲げて、ひどくきゅうくつそうにはいつくばっているのを、つい見ていた。

（身分が低いから、あんなに頭をゆかにつくほど下げた姿勢でいなければならない……。大変そう。

でも、わたしの身分がちょっとくらい、あの人たちより高いからといって、楽な仕事も楽な生きかたもないから、人ごとみたいに思っている場合じゃないわ。）

そんなことを、考えてしまうのだった。

彰子さまの御帳台の西側に、帝さまのお椅子を置いて、席をお作りもうしあげた。わたしたち世話係は、しきりのかげにひかえる。

十月四日に帝さまが学者の大江匡衡さまをよんで、若宮さまのお名前を考えるようにお命じになったそうだ。決まったお名前は、敦成さま。そのお名前が、きょうの儀式でお披露目され、親王としてみとめられた。

　お祝いの行事が進んで、日が暮れてゆく。舞が、次から次へと披露された。道長さまままでもが舞われた。

　舟の上では音楽が演奏されつづけ、その舟が池にうかんで動いている。舟が遠ざかり、島のむこうにかくれるときには、笛の音も鼓の音も、松の枝をざわめかせる風までもがひとつにまとまり、とても心地よい調べになる。落ち葉の一枚もないようにそうじされた水の流れは気持ちよくせせらぎ、夜風に池が波立つ。

　冷えてきて肌寒いというのに、帝さまは上着の下に二枚しか衣をお召しでいらっしゃらない。さっきから寒そうにふるえていた左京の命婦さんが、小声で言った。

「帝さまも、さぞかしお寒いでしょうに。」

「寒いのはご自分でしょう？」

と、みんながくすくす笑った。一方、長年つとめている筑前の命婦さんは、ぶつぶつとひとりごとを言っている。

「亡くなられた詮子さま……帝の母君さまが、お元気でおられたころは、たびたび帝さまも、この御殿にいらっしゃったものでしたのに。」

詮子さまは道長さまの姉君で、道長さまをとてもかわいがっていらっしゃったと、聞いたことがある。

「あのときは……ああで、ああなって……それから……。」

と、いつまでもぼそぼそと、自分だけにわかるような思い出をつぶやいている。

「うるさいわねえ。」

「亡くなった人の話は、おめでたい席では縁起が悪いわ。」

「だいたい、今は行事の最中よ。」

とささやいたり、うなずきあう人たちが、しだいに出てきた。けっきょく、彼女のひとりごとは無視されることになった。もし、だれかひとりでも、

「そうだったわ、なつかしいわねえ。」

と、話につきあう人がいたら、筑前の命婦さんは、おめでたい場にはふさわしくないことに、わんわん大声で泣きだしそうなようすだった。だから、いやがられてよかったのかも

しれない。

楽しい音楽の演奏がはじまった。ふんいきがもりあがったところへ、倫子さまにだかれた若宮さまのお泣きになる声が、とてもかわいらしく聞こえてくる。

「音楽が、若宮さまのお声にぴったりあって聞こえますな。」

と、右大臣さまがおほめになる。音楽のあいまに、貴族のかたがたが、声をそろえて、いっせいに唱えた。

「＊万歳！　千秋！」

すると、お酒に酔っておられた道長さまが感激し、なみだぐんでおっしゃった。

「ああ、以前にも帝さまがなんどか、ここへいらっしゃったことがあったが、どうしてあれを名誉だと思っていたのだろう。こんなにも名誉で、すばらしいことがまだあったのに。」

（たしかに、名誉なことだけれど、当然だと思っていばってらっしゃらないのが、わたしが道長さまを尊敬できる理由の第一だわ。）

＊万歳千秋　今は同じ意味で「ばんざい」（万歳のこと）と言うが、当時はこう言っていたという説がある

末っ子だった道長さまは、出世できる見こみはあまりなかったと、うわさに聞いたことがある。出世する先の地位は、お兄さまたちでしめられていた。

とくに、長兄の道隆さま……隆家さまや、亡き皇后定子さまの父君がお元気だったならば、一生、役人のひとりとして生きるしかなかっただろう。

けれど、お兄さまたちはとつぜん、病気で次つぎに亡くなった。道隆さまのご長男伊周さまを追いやって、今の地位を手に入れたのは、たしかに道長さまの才覚だけれど。

(「自分はただ幸運なだけであって、かんちがいしてはならない。」と、つねにいましめていらっしゃるのだと思う。)

わたしはそう考えていた。

帝さまは右大臣さまをおよびになり、命じられた。

「筆をとり、わたくしの言うほうびを紙に書いて、書類を作るように。」

儀式や宴の用意をした、中宮で働く役人のかたがたや、道長さまの部下のかたがたへのごほうびとして、そろって地位を上げられたのだった。お礼に、うれしさをあらわす舞を、みなさまが帝さまにささげる。

宴がすんだあと、帝さまは、彰子さまのおられる御帳台へ入られた。おふたりですごされるはずだったのに、すぐ、

「夜もおそくなりましてございます。」

「お帰りの乗り物を、ご用意もうしあげました。」

と、つきそいのみなさまから、大声でせっつかれる。あすもお仕事がいそがしいのだ。

帝さまはしかたなさそうに出てこられ、お帰りになってしまわれた。

（彰子さまがこちらへ里帰りなさってから、三月ものあいだ、はなれておられたのだもの。お話しなさりたいことはいろいろとおありだったろうに、なんてお気の毒。）

わたしは、おそれ多くも、深くご同情もうしあげたのだった。

生後五十日をむかえられた若宮さまの、*お祝いの宴は十一月一日にひらかれた。

いつものように人びとが着かざって集まったようすは、まるで絵にかかれた「じまんのお宝くらべ大会」みたいだった。むかしはみんなで集まり、じまんのもち物や、詠んだ歌をくらべあって、勝ち負けを決めて遊んだらしい。そんな絵が残っている。

彰子さまのおいでになるお部屋に場所を用意し、儀式をするところとは几帳を立ててしきって、しきりのむこうにごちそうのお膳をならべた。

倫子さまが若宮さまをおだきになり、道長さまがお口におもちをふれさせ、食べさせるまねをして、若宮さまが健やかにお育ちになるよう祈る儀式をする。

(このことも、しっかりとおぼえておいて、全部あとで記録しておかなくては。)

わたしは部屋の奥のほうで、熱心に行事を観察した。

そのあと、貴族のかたがたが彰子さまの了承のもと、御前にまねかれた。わたしたち世話係も、二重三重になって、ずらっとならんですわる。

ごちそうとお酒で酔っていた殿方のみなさまが、こちらへやってきた。

右大臣さまは、しきりの几帳の布を、びりびりとやぶいてしまうほど、ひどい酔っぱらいになっていた。

「まあ、いい年をして？」

「もう、六十五歳でしょう。」

「若い人のお手本になりませんと、いけませんのに。」

と、わたしたち世話係が、つつきあってひそひそ言っているのにも気づかず、他人の扇をうばったり、ろれつが回らないようすで下品なことをおっしゃってばかりだ。

それを見かねたのか、司会をしていた斉信さまが、回し飲みしている特別なさかずきを手にして横からわりこみ、「美濃山」という歌を歌った。

「美濃山に　繁に生ひたる　玉柏　豊の明かりに　会ふが楽しさや　会ふが楽しさや」

＊お祝い　この当時は、生まれて五十日目と百日目にもお祝いをした

(わたくしは、美濃山に、わんさか生えている、柏の大木です。宮中に献上され、おめでたい宴に出会って、楽しいのです。)

楽器もすこしばかりだけれど演奏され、なかなかおじょうずだ。

部屋のはしでは、藤原実資さまが、むずかしいお顔で、わたしたち世話係の衣の裾や袖口を見ていらっしゃる。

(時の権力者である道長さまに対して、あからさまにしっぽをふったりしない、ご自分のお考えを通されるかただと聞いている。さすが、お酒に酔ってふざけているかたがたとは、ちがうわ。)

話をしてみたい、と思った。世話係のみんなは、実資さまも酔っているのだと思い、てきとうなじょうだんを言って、あしらっている。

(みんな酔っぱらっているし、きっと、だれなのかよくわからないまま、実資さまに話しかけているのね。)

わたしは勇気を出して、みんなの背後から実資さまに声をかけた。

「なにをなさっているのです?」

「決まりに反して、よけいな着物を下に重ねて着ていないか、枚数を数えてたしかめている。はでな着物を着てはいかんぞ。」

なるほど、大まじめなかた、というのは本当らしい。そして、特別なさかずきが回ってくる順番を、いらいら、そわそわして待っているようだ。先ほどの斉信さまもだけれど、あのさかずきが回ってきたら、芸をひとつ、やらなくてはならない。

けっきょく実資さまは、よくある無難なお祝いの歌で、場を切りぬけた。もう、みんな入りみだれて、大さわぎでなにがなんだか、しっちゃかめっちゃかだ。

そこへ、酔った*藤原公任さまがやってきて、人ごしにこちらをのぞいた。

「失礼しまーす。ここらへんに、わたしの愛しい紫さんはいませんかー?」

(酔っぱらいばかりで、光源氏みたいにすてきな殿方もいない場所に、最高にすてきな女性の紫の上なんか、当然いるものですか。)

そう思って、かなりむっとしたので、わたしは知らん顔をしていた。

わたしと話したいのかもしれないし、公任さまが『源氏物語』の愛読者というのは、よ

*藤原公任　小倉百人一首「滝の音は　絶えて久しく　なりぬれど　名こそ流れて　なほ聞こえけれ」の作者

くわかった。けれど、こんな場所で、わたしの大切な登場人物たちの名前で、ふざけないでほしい。本当に、悲しくなる。

けれど、その「わたしの愛しい紫さん」という言葉は、みんなに大いに受けていた。

「おやおや、わたしのほうが、愛しく思っているのに。」

「まったく、どこにいるのやら。」

「ねえ、かわいい紫さーん！」

さわぎになって、ますます居心地が悪い。

一方、隆家さまは酔いつぶれ、すみっこにある柱の根元によりかかっていた。そばにいた兵部さんの袖をひっぱったり、聞くにたえない下品なことを大声で歌っている。

それでも道長さまは、みなさまを注意なされなかった。わたしは、となりにいた宰相さんにささやいた。

「こんな、とんでもない酔っぱらいばかりでは、どんなめにあうかわからないわ。行事がだいたい終わったら、さっさと部屋に帰ってかくれていましょうよ。」

（記録のことがなかったら、今すぐにげだしたい。）

宰相さんもうなずく。

「ええ、本当に。そうしましょう、藤式部さん。」

ところが、部屋にもどる通路のほうまで、頼通さまやお友だちなどでいっぱいで、こっそり通りぬけるなんて、とても無理だった。

（どうしよう……。）

しかたなく、ふたりで几帳の後ろにかくれ、小さくなっていた。すると、いきなり几帳がとりのぞかれ、ふたりそろって手をつかまれて、ひっぱりだされた。

ひいっ、とおそろしい思いをしながら見ると、酔って赤い顔をされた道長さまだ。道長さまの前に、わたしたちはならんですわらされてしまう。

「なにが不満で、かくれてるんだね？　藤式部、宰相。」

「……すみません……。」

首をすくめたわたしたちに、道長さまは、とてもこわい顔でこうおっしゃった。

「若宮さまにさしあげる和歌を、ひとつずつ詠め。そうしたら、ゆるしてやろう。」

（そんな！）

どうにもにげられそうになく、こわいやら、こまりはてるやら、わたしはふるえながら歌を考えて、声に出した。

『いかにいかが　数へやるべき　八千歳の　あまり久しき　君が御代をば』

（どうやって、どんなふうに、数えつくしたらいいのでしょう。八千歳もそれ以上も長いにちがいない、若宮さまのご寿命を。）

あまりじょうずなできではないけれど、とにかく長生きなさりそうな、おめでたいことを言ってみる。道長さまのごきげんは、たちまちよくなった。

「ほほう、みごとな歌ができたな。」

うれしそうにわたしの歌を二度ほど口ずさむと、ご自分もすばやく返事の歌を詠まれる。

『あしたづの　齢しあらば　君が代の　千歳の数も　数へとりてむ』

（鶴は千年も生きるという。わたしが鶴のように千年生きられるなら、若宮さまの千歳の年数を数えるのに。そのくらい遠い将来まで、若宮さまを見守りたいものだ。）

わたしは、はっとした。

（こんなにも酔ってらっしゃるのに、しっかりとした歌……。道長さまにとって、若宮さまのご誕生は、本当に心からの願いだった。歌にも、それが表れていらっしゃるわ。若宮さまをだいじに思ってらっしゃるから、儀式もお祝いも、すべてが光り輝いて見え、若宮さまをすばらしいふんいきにつつみ、かざるのね。）

わたしみたいな、ちっぽけでどうでもいいような存在にさえ、千年も続いてほしい若宮さまのすばらしい将来が、いろいろと思いうかんでくるのだった。

感激していると、道長さまは彰子さまのほうをふりかえられた。

「中宮さま、お聞きかな。うまい歌が詠めたよ。」

と、ごじまんなさると、さらにおっしゃった。

「中宮さまのお父さんとしては、ぼくも悪くなかっただろう？　ぼくの娘にしては、中宮さまも悪くはないよなあ。ほら、お母さんもまた、運がよかったと思って、笑っている。いい男と結婚したって、思っているのだろう？」

かなりふざけた言いかただ。

（あらぁ……これは、道長さまも、どうしようもないくらい、酔っぱらってらっしゃる。）

わたしは、ちょっと不安になった。たいしたふざけかたではないと思われたのか、彰子さまは、にこにこと聞いておいでだ。

けれど、倫子さまはたちまち、ふきげんそうな顔をされた。さっと立ちあがり、部屋へ帰ってしまわれた。道長さまが青ざめる。

「まずい、送っていかないと、お母さんがごきげんを悪くする。」

大あわてで、近道だからと、彰子さまの御帳台をかこった布のなかをつっきる。

「中宮さま、失礼なとお思いでしょうな。でも、この親があるから、子もりっぱになれたのだよ。」

ちょっぴりあきれ顔の彰子さまに対し、ぼそっとそうつぶやくと、道長さまはたちまちいなくなってしまわれた。気づいたみんなも、「おやまあ、なにをなさっているのやら。」と笑いだす。

宰相さんは、歌を詠まずにすんだみたいだ。

「ああ……やってしまわれたわね。」

と、わたしと宰相さんは、顔を見あわせた。

「倫子さまに『運がよかったな、ぼくと結婚したのは。』は、ちょっと……ね。」

すこしばかり残念に思いながら、わたしが言うと、宰相さんも答える。

「それを言うなら、逆よ。倫子さまのようなすばらしい女性と結婚できて、道長さまのほうが運がよかったのよねえ。」

「自分がえらいから、娘もえらくなれた、みたいな言いかたも、ありえないわ。」

「あれが道長さまの本音……ということね。」

末っ子で出世の見こみのなかった道長さまを選んで、倫子さまは結婚したのだ。もっと出世しそうな人を選ぶこともできたのに。

道長さまをかげで支え、六人ものお子さまたち、とくに四人の姫さまたちを産んでくれたのは、倫子さまだ。

姫さまを帝さまや東宮*さまと結婚させることで、道長さまは「将来の帝さまの祖父」になれる。政に影響をあたえられるのだから。

（どうしてあれほど、ご自分に自信がもてるのかしら……。）

わたしには、とうてい無理だ。

*東宮　次の天皇になると決められている人

七 ついたあだ名は紫式部

彰子さまが宮中におもどりになるのは、九月下旬の段階ですでに、十一月十七日に予定されていた。五十日のお祝いのあと、わたしは記録を整理して、清書するつもりだったのに、彰子さまからお願いをされた。

「藤式部、『源氏物語』の新章を書いてほしいの。帝さまが楽しみになさっているから、本にまとめて、おみやげにしたいわ。」

いそがしくなった。わたしは下書きしておいた『源氏物語』の続きを、いそいで正式な原稿に書きなおし、夜明けと同時に、彰子さまの前に持参した。

原稿をきれいな紙に書き写して、本の形にするのだ。わたしは彰子さまの目の前で、きれいな紙を整理したり、字のじょうずな人に清書を依頼する手紙を書いたり、原稿とそれらをまとめて届けたりする。それから、清書が終わってもどってきた紙の束を、糸でとじて本に作ったりもする。この仕事に、一日中かかりっきりだ。道長さまがようすを見に来て、あきれられた。

「なにをやっているのだ。子どもを産んだばかりなのに、この寒い時期に、そんな肩のこる仕事をして。」

そうおっしゃりつつ、道長さまは中宮さまのために、きれいな紙や、筆、墨などをもってきてくださった。

ご自分のすずりさえもってきてくださったので、中宮さまがそれを、

「これは藤式部に、お礼としてあげるわ。仕事のあとで、自分のものになさい。」

とおっしゃると、道長さまが苦笑いする。

「もったいない。藤式部め、奥のほうでまじめにおとなしくやっていたかと思えば、ちゃっかりといいところをもっていく。」

しかりつつ、道長さまは、わたしにもちゃんと、よい継紙*や筆をくださった。

＊継紙　いろいろなきれいな紙を貼りあわせて、一枚の紙にしたもの

けれど……。原稿の下書きを、実家からもってきて自分の部屋にかくしておいたのを、道長さまがもっていかれてしまったのには、本当にこまった。

自分の部屋にもどって、下書きが見あたらなかったときの、わたしのあせりといったら。

（……ぜったい、道長さまだわ。中宮さまの前で本を作る仕事をしているあいだに、こっそりとおいでになって、わたしの部屋をさがしたのね。）

彰子さまのいちばん上の妹君、妍子さまにさしあげたのだ、とすぐにわかった。

「とてもとてもおもしろい、とおっしゃってましたわ。」

と、妍子さまの世話係に廊下でたまたま会ったとき、お礼を言われたからだ。妍子さまは、頼通さまと教通さまとのあいだにいるお子さまで、十五歳だ。

満面の笑みでそう言われては、返してください、ともたのめず、

「よろしゅうございました。まことに光栄です。」

と、作り笑顔で答えるしかない。

（こまったわ。清書した原稿は返してもらえなかったし……あの下書きは、今ごろ、どこかで回し読みされているはず。）

わたしの手もとには下書きしか残っていなかった。その下書きを姸子さまが、周囲のかたにお見せして、なんだ、つまらない、へただなと、みなから思われたら……。

わたしの気がすむまで手を入れて書きなおしたものではなく、下書きのへたなほうを読まれたり、書き写されて世に残ってしまったら、はずかしいし、本当に残念でならない。

けれど、もうどうしようもない。


そのころ、若宮さまは、「あー、あーうー。」と、かわいらしくお話しするみたいなお声を出されるようになった。

これほどかわいい若宮さまに早く会いたいと、帝さまがお思いになるのも、当然だろう。聞いたうわさでは、彰子さまが宮中におもどりになる日が決まったとき、

「その日では遠すぎる……。」

と、ため息をつかれたとか。けれど、はてしなく遠いと思われた日も、生きていれば、かならずやってくる。一歩ずつ、近づいてくる。

彰子さまとともに宮中にもどる日が近づいて、わたしは土御門御殿の庭を、しみじみと

ながめた。池には日に日に、冬のわたり鳥が増えている。冷たい水面にうかんで羽を休めたり、えさをさがして首を水につっこんだり……。

（この庭の景色や池を見られるのも、あとわずかね。雪がつもったところを、見られるといいのだけれど、宮中にもどるまでに。きっと、とてもすてきでしょうから。）

そう思ったけれど、宮中にもどったらゆっくりできないので実家に帰ったら……なんと、二日ほどして、真っ白に雪が降りつもってしまったではないか。

御殿にもどるころには、ひなたの雪はとけてしまうだろう。わたしは、実家のせまくてさびしい庭の、数本の木につもった雪を見て、なんともやりきれない気持ちになった。

「すごく残念……。」

思わずそうつぶやいたとき、耳の奥から、宣孝さまの声がよみがえってきた。

《この庭も、雪があれば、きれいに見えるね。ふだん、ここにあるのがわずかな木だけで、さびしい、というのをわすれられて。あの白い雪の下には、やがてきれいな花のさく芽がある、と想像すれば、なぐさめられる。》

「宣孝さま……。」

《きみは得意だろう？　想像するのが。》

なぜだろう。彼を亡くしてから、はじめて、うちのせまい庭がきれいだと思えた。

真っ白な、なにもほかに見えない庭。

宣孝さまがいなくなってしまってからの数年間、ただぼんやりと、この庭をわたしはながめていた。悲しみすぎて心がすりきれてしまって、なにも感じなかった。

花の色も、鳥の声も、春や秋の季節ごとの空のようすも、月のすがたも、霜や雪の白さも、どれを見ても、

（あ、そんな季節が来たのか。）

と気がつくていどだった。きれいとも、すてきとも、うつりゆくのがおしいとも、感じなかったのだ。

「あのころは……『拾遺和歌集』にある、だれが詠んだかわからないあの歌を、よく口ずさんでいたわ。

『世のなかを　かく言ひ言ひの　はてはては　いかにやいかに　ならむとすらむ』

世のなかをああだこうだと言いつづけて、そのあげくのはては、いったい全体どうなっ

てしまうのだろう……。本当に、お先真っ暗だった。」

わたしにできること……やる気が出ることは、ただ、思いつくままに物語を書くことだけ。好きな言葉をならべて、紙につづるだけだった。

でも、その物語を気に入ってくれて、はげましてくれたり、ほめてくれたり……なによりも、登場人物のことをまるで生きている人みたいにとらえ、あれこれと人物について話せる友だちができたのが、本当にうれしかった。

物語があったから、物語を書いたから、わたしはひとりでも……娘とふたりこの世に残されても、どうにか残った心を保って生きてこられた。

「……あの歌のとなりに載っていた、もうひとつの歌。

『世のなかに　あらぬところも　得てしがな　年ふりにたる　形かくさむ』

この世のなかではない、まったくべつの場所を手に入れたい。年老いてみっともなくなった自分のすがたを、かくしたいから……。

ここではないべつの場所、人の目を気にせず、自分らしくいられる場所がほしい……という歌よね。」

みっともない自分をかくすのではなく、さらけだすような場所へ、わたしは行くことになった。他人に顔もすがたも見られてしまう、宮中へ。

「ねえ、宣孝さま、わたし、どうして……つらくて、苦手なほうへ歩んでしまったのかしら。物語があったために、この道がひらけたけれど……理想の道など、物語はわたしにあたえてくれなかった。

どんなに苦手でも、他人にまじって他人を知らなければ、よりよい物語は生めない、そういうことなの？」

わたしの問いかける声は、雪にすわれて消える。

わたしが、わたしでいられる場所は、やっぱり、想像の世界、物語のなかにしかない。現実に生きている人のなかには、見つからない。

……そんなわたしを、だれかに理解してもらえるなんて、思っていない。

理解できなかったこともきっとあっただろうに、ありのままのわたしを受けとめてくださった宣孝さまが、唯一無二のかただったのだ。

わたしのことは理解しない……というか、興味はなくても、『源氏物語』の登場人物に興味があって、深く語りあえる友だちがいたころは、よかった。

今、ためしに自分で書いている『源氏物語』を読んでみても、正直、あのころのようには感動できない。思い入れがうすくなってしまった。

たぶん、物語の書きかたはじょうずになっていると思う。おおぜいの人が読んで、愛読者になってくれ、続きを読みたがってくれるのだから。

でも……「読者が、わたしを理解しない人たちに広がった」のを気にかけながら書くのは、わたしの本当にしたいことではない。展開を考えたり、原稿を書いているそのときは、もちろん楽しい。いやなことはわすれられる。夢中になれる。でも……なにか、ちがう、という感じが、あとからおそってくるのだ。

この家でひとりで書いていたころの友だちが、わたしが宮中という「遠い場所」へ行ってしまったことで、

「もう、別世界の人になってしまった。近よりがたくなった。」

と、手紙をくれなくなったから……。そんなことが理由なのかもしれないけれど。

わたしから手紙を書いても、返事がない。

「実家にしばらくいます。」と知らせても、たずねてきてもくれない。


ちょうどそこへ、世話係仲間のみんなから、手紙がとどいた。

『彰子さまがお庭の雪をごらんになって、「藤式部がこのすてきな雪景色を見たいだろうに、実家に帰っているのがじつに残念。」と、がっかりしておっしゃっていました。』

などと、みんなが書いている。倫子さまからもお手紙をいただいた。

『わたくしが藤式部に、「実家でゆっくりしてきたらどう。」と言ったものですから、あなたはあわててお休みをもらったのでしょう。

そのとき「すぐにもどります。」と言ったのも、口先ばかりのあいさつで、わたくしの言うとおりにゆっくりしようと、まじめにがんばっているのですね？』

「倫子さま、わたしがもどらなくて彰子さまががっかりした責めを、ご自分でひきうけてくださったのだわ。わざわざ、わたしのためにお手紙もくださって。」

倫子さまのもったいないまでのお心配りに、わたしはおそれいり、いそいで土御門御殿へもどったのだった。

十一月十七日の夜、彰子さまと若宮さまは、宮中へとお帰りになった。彰子さまは御輿に乗られ、若宮さまは世話係がだっこして、倫子さまもともに牛車に乗って帰られた。

わたしたち三十人ほどの世話係も、牛車に分乗した。牛車はつめれば四人乗れるけれど、きょうは正装で着かざっているし、荷物もあってせまいから、一台がふたり乗りだ。

けれど、わたしといっしょになった人が、藤式部さんとだなんて、いやだわ、みたいな顔をしたので、わたしもむっとした。

(めんどうな人。たまたま、おなじ車になっただけなのに。わざとこの車を選んだわけでもないのに。こういうのが、いやなのよ。他人にかこまれたなかで働くのって。思いがけないことで、いやな気持ちにさせられる。)

宮中の中庭に入り、牛車をおりると、月が明るかった。むかえに出た役人のかたがたに、すがたが丸見えだ。

いっしょに乗った人を「お先にどうぞ。」と行かせたのだけれど、わたしが後ろでなにを考えているのかが気になるのか、なんだかそわそわしているようすだ。

そうなのだろうなと、一度思ってしまうと、わたしも、すごく気になる。

（わたしの後ろから来る人にも、おなじように、わたしの後ろすがたがそわそわしているように見えるだろうな。）

と思って、はずかしくなった。勝手に想像して、本当かどうかわからないことを気にするのを、やめたい。でも、そのように考えてしまうのがわたしなのだから、しかたがない……。

ようやく、自分の部屋にたどりついて横になっていたら、小少将さんもやってきた。

「寒いわー。しばらく人気がなかった部屋は、本当にこごえるようね。」

わたしもうなずく。

「ええ。それに、夜だからそれほどは、じろじろと役人がたから見られないと思ったのに、こんなに月が明るいなんて。」

「本当よね。この仕事、つらいわ。」

「ああ、寒い。綿の入った着物、もう一枚着ないと、いられない。」

「わたしもよ、藤式部さん。待ってて、今、火を入れるから。」

ふたりでぐちをこぼしあいながら、*香炉に火を入れて、荷物から着物をひっぱりだしてかぶる。

「みっともないけど、寒いからしかたないわよねえ。」

「体が冷えきっちゃったもの。牛車って、なんであんなに寒いのかしら。」

そこへさっそく、経房さまがやってきた。真夜中だというのに、まだ仕事をしていたらしい。

「やあ、お帰り、紫式部。」

「え、紫……って、だれですか?」

「あなただよ、藤式部。」

経房さまが笑う。

*香炉　香をたくのに使う器。ここではこれに火を入れて、暖をとるのに使っている

「誕生五十日のお祝いの宴で、『わたしの愛しい紫さん』ってよばれてただろう？　それで、きみのあだ名は紫式部になった。」

「ええっ。」

（また、あだ名をつけられたの？）

「日本書紀の大先生」というのも、すごくいやだったので、わたしの顔がひきつる。

「そんな顔しないで。きみがすばらしい物語を書くから、敬意をあらわしての名だよ。ほかのだれにも、紫の上と光源氏は書けない。きみがいなければあの登場人物たちは生まれず、いきいきと生きていかれない、という意味で。」

「……はい……そうです、か……。」

「だからね、どうどうとしていていいんだよ。だれかにきらわれたからって、その人は、きみみたいなすばらしい物語は書けないのだから。」

「……ええ……。」

　なぐさめに来てくれたのは、ありがたいと思う。あの人が、わたしといっしょでいやだったと、どこかでしゃべっていたのを聞いたのかもしれない。

でも、ほうっておいてほしい。

(いやなことは、なかったことにしたい。わすれたい。むしろ、わたしなんか気にされない、いない人ってことになってしまいたいのに……。)

言葉にされ、くりかえされると、よけいにその事実がしっかりと定まり、力をもって、わたしや人の心にきざまれる……気がする。

「じゃあ、また明日。今夜はがまんできないくらい寒くて、身もすくむくらい、こごえてしまったので。」

経房さまはご自宅へ帰っていった。わたしたちのやりとりを聞いていた小少将さんが、ねむそうに言った。

「そういえば、皇后定子さまがお元気だったころ、宮中で流行っていたおもしろい本があったそうね。*歌詠み元輔の娘さんが書いたとかいう。あれを最初にもちこんだのって、あのかたらしいわね。」

「……そうなの。」

*歌詠み元輔　清原元輔のこと。小倉百人一首「契りきな　かたみに袖を　しぼりつつ　末の松山　波越さじとは」の作者

花草子

知っているけれど、わたしは興味がないふりをした。話題にしたくない。経房さま、本当に悪気がない人だ。おもしろいから、みんなに広めた。そして、それはじっさい、おもしろかった。

わたしは読んでみて、いらいら、むしゃくしゃしたけれど、けっしてつまらないとは思っていない。客観的に評価すれば、おもしろいことは大いにみとめる。

でも、その本があるから……わたしは、それを書いたあの人とくらべられる。彰子さまも定子さまとくらべられ、わたしたち世話係もくらべられる。

翌朝、彰子さまは、道長さまがもたせてくださったおみやげを、じっくりとごらんになった。わたしたちも見せていただく。

美しい箱に入った新しいお化粧道具は、いつまでながめていてもあきないくらい、すてきだった。

ほかにも箱がふたつあって、片方には本が入っていた。『古今和歌集』『後撰和歌集』『拾遺和歌集』の三つの歌集が上段にあり、下段は、歌詠み元輔さんや、伊勢大輔さんのおじいさまの*大中臣能宣さんなど、むかしから現在までの有名な歌人それぞれごとの歌集だった。

もうひとつの箱の中身は、わたしからは見えなかったので、わからない。

宮中では、連日行事が続いた。

十二月二十日は、若宮さまの誕生百日目になり、お祝いの宴がひらかれる。

けれどわたしは、十二月に入るころにお休みをいただき、ふたたび実家に帰っていた。

「落ちついて、秋から書いてきた記録の清書と、『源氏物語』の続きを書くのに専念したいのです。」

と言ったら、みとめていただけた。

それはうそではないけれど、正直、あの酔っぱらいたちにかこまれて、「紫式部」なんてあだ名でよばれるのは、どうにも気がすすまない。

その百日目のお祝いで、事件が起こったらしい。いなかったわたしに、世話係の仲間たちが手紙で知らせてくれたので、だいたいのことがわかった。

百日目のお祝いでも、若宮さまにまた、お食事やおもちを食べさせるまねをして、健やかにお育ちになることを祈る儀式をする。道長さまが若宮さまをだっこして、帝さまがおもちを食べさせるまねをなされる。

それから宴になった。いつものとおりにみなさまは酔っぱらい、公任さまがこうおっしゃった。

「特別なさかずきを回すから、お祝いの和歌を詠んで、さかずきの酒を飲むように。」

その和歌を、道長さまは、字のおじょうずな行成さまに、記録するようにお命じになった。

ところが、その場にまねかれていた、亡き皇后定子さまの兄君の伊周さまが、書こうとした行成さまから筆と紙をうばい、勝手に書きはじめた、というのだ。

「なにをしているのだ？」

「勝手なことを。」

と、みなさまがざわざわして、いやなふんいきになった。

やがて、伊周さまが書いたものが回され、みなさまは読んで青ざめた、という。

＊大中臣能宣　小倉百人一首「みかきもり　衛士のたく火の　夜は燃え　昼は消えつつ　物をこそ思へ」の作者

『若宮さまは第二皇子。帝にはほかにも、お子さまがおいでなのだ。』という意味の、個人的な意見が書かれていたのだ。

そう、第一皇子として、定子さまがお産みになられた、十歳の敦康さまがおられる。

ざわついたとき、帝さまが道長さまをまねきよせ、みずから、道長さまにさかずきをわたされ、お酒をつがれた。道長さまにねぎらいのお言葉をくださる。帝さまのとっさのお心配りで、道長さまが、不愉快な顔をなさるすきがなくなったのだ。

それで、なんとかその場がおさまったらしい。そこには隆家さまもおいでだったのだけれど、兄君の伊周さまを止めることもせず、道長さまにしたがっていたそうだ。

(かつては……定子さまがお元気だったころは、とても仲のよいご兄弟だったと、聞いたことがあるのに。)

……悲しい話だと、思った。

十二月二十九日に、わたしは宮中へもどった。

記録の清書ができて、道長さまや彰子さまに見ていただかないとならない。それから年が明けると、新年を祝い、ぶじを祈る行事がいろいろとあり、世話係の仕事がいそがしくなるからだ。

(十二月二十九日……わたしがはじめて宮中に来たのも、二、三年前のこの日だったわ。あのときは、夢のなかにいるみたいで、なにがなんだか、わけがわからなくて、ものすごく緊張したっけ。彰子さまのおそばで働く生活に、それなりになじんでしまった、今は。)

あのころは、早く仕事になれたい、楽になりたいと思い、同時に、なじんだりなれたりしたくないとも思った。

今でも、自分ひとりのためだけに、自分の頭や心をつかって生きていけたら、と思っている。こんなふうに、他人に気をつかい、心をすりへらして生きるより。

と思いつつ、すりへらしてきて、にぶくなったのか、なぜか心の痛みをあのころほど感じない。

(なれたというか、にぶくなって楽になったところもあるのは事実で……なんだか情けないわ。自分らしさをけずってしまったみたいで。）

自分自身に苦笑した。


十二月三十日、＊今年最後の日の夜。

鬼を追いはらう行事が、早々と終わってしまった。なので、わたしは自分の部屋で、お化粧をちょっとなおしたりして、のんびりしていた。世話係仲間の弁の内侍さんがやってきて、しばらくふたりでおしゃべりをする。けれど、

「夜おそくなったから。元日も朝から行事があるし。」

と、内侍さんは横になり、そのうちねむってしまった。

おなじく世話係仲間の内匠さんは、部屋の入り口のあたりで、雑用係の女の子に、ぬった衣の裾をのりでとめて、ほつれないようにするやりかたを教えている。

静かな夜になった。そのときだ。

「きゃあああああっ。」

女の人のものすごい悲鳴が、彰子さまのお部屋のほうからひびいてきた。

えっ、とわたしと内匠さんは、おどろいてふりかえった。ただごとではなさそうだ。

「ちょっと、内侍さん、起きて！　起きてください！」

わたしは内侍さんをゆり起こしたけれど、ぐっすり寝ていて、起きてくれない。

「助けてえっ、いやあああっ。」

と悲鳴はやまず、泣きわめく声も聞こえてくる。

わたしは深呼吸して、気を落ちつかせた。もし火事なら、「火事よーっ。」という声がするはずだ。しかし、それは聞こえない。けむりのにおいもしてこない。

「火事ではなさそうね。ようすを見てきましょうよ、内匠さん。ここでこわがっているよりは、ましだわ。」

そうは言っても、じつは、わたしもこわい。ひとりで見に行くのがいやで、むりやり内匠さんを立ちあがらせる。

「ともかく、彰子さまがあちらにはいらっしゃるのよ。まず、そばまで行って、ごぶじかどうか、ごようすをうかがわないと。」

＊今年最後の日　旧暦では、一か月は二十九日か三十日しかなかった

「そ……そうね……。わかったわ、藤式部さん。」

それからわたしは、弁の内侍さんを強引にたたき起こした。ねぼけている内侍さんに、事情を説明する。それから内匠さんを先頭に三人でおそるおそる、明かりを手に、声のするほうへと廊下を進んだ。

「いやあっ、だれかーっ。」

と、泣きさけぶ声は、まだ続いている。

こわくて、三人ともぶるぶるふるえ、足もとは空をふんでいるみたいに心許ない。

彰子さまのお部屋に通じる廊下の角をまがったら……。

「ひいっ。」

廊下の先を照らした明かりに、白い人影がふたつ、ぼうっとうかぶ。おびえながらも、わたしは正体をたしかめた。

下着一枚だけで、ほとんどはだかに近いすがたの女の人がふたり、廊下にうずくまっていた。

「もしかして……靫負さんと、小兵部さん!?　ええっ、なにがあったの？」

わたしの声に、ほっとしたのか、ふたりはわあわあ泣きじゃくりながら、答えた。

「……ご……ごう……強盗……。」

「み、身ぐるみ、はがされたの。」

そういうことか、と、いまさらわたしは、腰がぬけそうになった。

「強盗!?」

「ここ、宮中のいちばん奥よ？　警備の武士はなにしてたのよ！」

と、内匠さんと弁の内侍さんもさけび、わたしたち三人はぞっとして、顔を見あわせる。

とりあえずわたしたちは、下着すがたのふたりに衣を貸して、肩にかけてあげた。

「鬼を追いはらう行事が終わったから、男の人はみんな家に帰っちゃったのかもしれないわね。」

「今年最後の行事ですものねえ。」

「まだ、強盗がそこらにかくれているかもしれないわ。とにかく、武士をよばないと。」

そう話しあい、わたしたちは手をたたいて、大声で警備の武士たちをよんだ。

「警備の人！　早く来て！」

「どこにいるのよ！」

「強盗が入ったわ！」

けれど、どこからも返事はない。

ああ、もうっ、とわたしはいらいらし、だれか知っている男の人が近くにいないか、考えた。

（あ、そうだわ。お兄さまがまだ残って働いているかも。）

そこで、台所の配膳室に住みこんでいる皿洗いのおばあさんを連れてきて、こう命じた。

「政の会議や仕事をする建物に、『兵部丞』という男の人がいるから、よんできて。早くよんで。」

兵部丞は、わたしの兄惟規の役職名だ。おばあさんが、まもなく、もどってくる。

「もうお帰りになられた、とのことでした。」

（まったくお兄さまったら、かんじんなときに役に立たないんだから。）

役に立たない……それは、子どものころからだ。兄は人がいいばかりで、仕事がばりばりできるわけでもない。

おばあさんが来たことをふしぎに思ったのか、やっと、兄の同僚の人がひとりだけ、ようすを見に来てくれた。

事情を聞いた彼は、廊下が暗くならないよう、あちこちに明かりをともしてくれた。まだ若い男の人だった。てきぱきと働いて、たよれる人だ。

世話係たちも集まってきて、なにがあったか知ると、ぼうぜんとしていた。だれかが彰子さまに知らせたらしく、やがて、着物一式をふたり分、もってきてくれる人がいた。

「彰子さまが、『物置部屋にある、予備の着物一式を使いなさい。』とくださったから、これを着て。」

こわさと寒さでふるえていたふたりは、ようやく、ほっとした顔になった。

幸い、着ていた衣をとられただけで、部屋に置いてあった、明日の元日の晴れ着はぶじだった。なのでふたりとも、元日には、なにごともなかったかのようにして働いていた。

気にしていたら、かえっていつまでも話題にされるし、本人たちもあの恐怖とはずかしさを、わすれてしまいたいにちがいない。

なかったふりをしていれば、みんな、あっさりとわすれてしまうものだ。

でも、宮中にまで強盗が入るなんて、本当におそろしい事件だった。

明かりに照らしだされたふたりの下着一枚のすがたが、目に焼きついて、わたしはわすれられない。

あとになって思い出すと、下着一枚なんて、なんだかおかしい。けれど、なかったことにしたいほどこわかっただろうし、お気の毒なので、「おかしい。」なんて人には言わない。

だまって、心に書きとめておくくらいは、ゆるされるだろうか……。

強盗事件は書かなかったけれど、こうして、若宮さま――敦成親王さまがお生まれになった年の記録は、終わった。

わたしは、確認していただいた記録を、さらに手なおしして、道長さまに提出した。道長さまはそれを書き写されるようにお命じになり、何冊か、本にして配られたようだ。

わたしの手もとには、記録の下書きだけが残った。

(ずいぶん、たくさん書いたわね。捨ててしまうのはもったいないくらい、たくさん。)

できごとは、記憶からは消えやすい。記録なら確実に残る。手にした下書きを見つめ、わたしは考えた。

（それなら、個人的な日記として、わたしの気持ちを書き加えて、残しておこうかしら。養ってくれる父親のいない賢子も、大人になったらわたしみたいに、宮中で働くしかない。だから、そのときになにかの参考になるはず。）

父にも言われたことがあるけれど、親……つまりわたしが、いつまでも元気で働けるともかぎらないし。仕事のなやみを聞いてあげたりして、わたしの経験をじかに教えてあげたりすることができないかもしれない。

それに、実家にもどると、賢子が目を輝かせてわたしに聞くのだ。

「お母さま、今はどんなお仕事をなさっているの？　わたしも早く、お母さまみたいに働いてみたいな。」

ああ、わが子でも他人なのだ、と思いつつ、わたしは質問に質問で返してしまった。

「賢子は、どうして働きたいの？　おうちで、自分のしたいことをして暮らすほうが、好きではないの？」

すると、賢子は、なぜそんなことを？　といった表情になり、当然のように答える。

「人の役に立つのは、楽しいもの。おじいさまは、賢子が助けてあげると、いつも『ありがとう、うれしいよ。』って、言ってくださるのよ。」

この子は、わたしとはちがう心をもっている。わたしの子だけれど、同時に宣孝さまの子なのだ。宣孝さまによく似ている。

――『きみの笑顔をひきだすのが、わたしの楽しみなのだよ。』

「賢子は、よい子ね。」

そう言うと、賢子は、とてもうれしそうに笑うのだった。

八　わたしの生きる道

年が明けて一月になり、その月末に、また事件が起きた。

「大変よ、藤式部さん！」

二月一日の朝、わたしの部屋にかけこんできた小少将さんが、息を切らして教えてくれる。

「だれかが、彰子さまと若宮さまを、呪ったんですって。ゆか下にうめられていた、呪いのまじないを書いたお札を、そうじ係の者が発見したらしいのよ、きのう。」

「呪いですって!?」

「ええ。おふたりの命がねらわれたのよ。」

小少将さんの声に、世話係たちが集まってきて、うわさ話をはじめる。

「いったいだれが、そんなおそろしいことを。」

「……決まっているわ。若宮さまのお誕生百日のお祝いのときの……あのかたよ。」

「え、でも、伊周さまなら、一月七日に、道長さまとおなじ地位を帝さまからいただいたわよね？　なのに、うらんでいるの？」

「地位をあたえることで、ごまかされたと思ったのよ。敦康親王さまを軽んじていることを、伊周さまはおこってらっしゃるのに、ぜんぜん話が通じていないって。」

「なるほどねえ……。」

わたしはだまって聞いていたけれど、内心では、みんなの考えるとおりだろうと思っていた。

案の定、四日から五日にかけて、伊周さまのご親戚のかたがたが、呪いのお札を作ったというがいで、*検非違使にとらえられた。

わたしはくわしいことを、数日後、たまたま連絡にやってきた行成さまから聞くことができた。

*検非違使　平安時代の警察のような組織

「勝手なうわさ話が世話係のあいだで広まっては、中宮さまがいらないご心配をなさるだろう。藤式部、そなたを信頼して、わかっていることを話すから、みなにうまく伝えておいてくれ。」

「かしこまりました。」

わたしは静かにうなずいた。

「とらえた者たちの自白では、呪いの計画は、昨年の十二月の半ば、つまり若宮さまの百日のお祝いのころからはじまっていたそうなのだ。呪うのは、中宮さま、若宮さま、左大臣さまのお三方のみで、帝ではない。帝に呪いはかかっていないので、さわぎたてないように。」

左大臣さまとは、道長さまのことだ。

「そのお三方がいなくなれば、伊周さまは、ご自分にふたたび、権力がもどってくると思われたのかもしれない。しかし、それはわたしの推測でもあり、実行した者たちが勝手に考えてやったことでもある。伊周さまご自身は、『知らなかった。』としかおっしゃらないのだから。」

「……帝さまのごようすは？」

「とても、悲しんでおられた。お怒り……というよりも、裏切られた、というお気持ちがお顔の色に。」

「そうですか。」

帝さまには呪いはかかっていないし、お三方への呪いも、陰陽師をまねいて、はらったので安心してほしい。このことを、わたしはみんなに伝えた。

けれど、帝さまのご心労は深く、

「知らなかったとしても、伊周に原因がある。よって、内裏に来ることはゆるさない。」

と命じたあと、二月の下旬にはとても体がおつらそうになられた。二十五日には、洗面所にしている部屋でへたりこんだまま、とうとう動けなくなってしまわれたのだった。

敦康さまもおなじだった。二月のうちに寝こんでしまわれている。

このあと、呪いが消えても、うらみや苦しみが消えたわけではなかった。

翌年の一月二十八日に、政の場にもどれないまま、伊周さまが亡くなった。うらみをつのらせ、わが身をほろぼしたのだとうわさされた。

一方、一条の帝さまは、二月に動けなくなったのち、その年の夏ごろまでにはご回復なさったように見えた。けれど本当は、ずっと具合が悪くておられたのだ。

二年後の夏、帝さまは病にたおれられ、相談相手だった行成さまをよんで、こうたずねられたという。

「帝の位を東宮＊居貞親王にゆずる。その次の東宮を、だれに決めたらよいと思うか？」

帝さまは、敦康さまを東宮さまに、と行成さまがもうしあげると期待されて、そうおたずねだったのだと思う。

けれど、冷静な行成さまは、きちんと理由を説明したうえで、「帝さまのお気持ちはごもっともですが。」と、敦成さまを東宮にするようにおすすめしたそうだ。

彰子さまはこれが、道長さまの作戦だと気がつき、はげしくお怒りになった。敦康さまが第一皇子なのだ。

道長さまは彰子さまを無視して、敦成さまを次の次の帝の地位につける準備をはじめていた。

がっかりした帝さまは、六月十三日に帝の位をおゆずりになった。しかし翌日から急に病が重くなられ、二十二日にお亡くなりになった。

彰子さまのもとには、敦成さまと、その一年後に生まれた敦良さまという、おさない皇子おふたりが残された。

「この子たちのために、わたくしは強くならなければなりません。亡き帝を悲しませないよう、この子たちを守らなければ。」

彰子さまはそう強く誓われたのだ。わたしも、彰子さまにしたがってゆく覚悟だ。

話を、二年前の呪い事件のころにもどそう。

呪い事件のさわぎもまだ落ちつかない春のころ、新しい世話係が仲間に加わることになった。

＊居貞親王　一条帝のいとこにあたる。名の読みは「いやさだ」とも

「今度来る人、あの和泉式部さんですって。」

和泉式部さんは、かつて兄弟の皇子さまおふたりから、それぞれに深く愛されたことで知られている。感情を歌にするのが得意で、いつもすばらしいできばえになることでも、評判だ。

「本当に？　有名人よ？」

「仲よくできるのかしら。」

世話係たちはこれまたうわさ話でもちきりだ。和泉式部さんはわたしと同世代なので、それほど若いというわけではない。

小少将さんが、わたしにそっと聞いた。

「和泉式部さんって、本当にあの和泉式部さん？　わたし、あのかたの詠む歌が好きなのよ。恋の歌が美しくて。

『あらざらむ　この世のほかの　思ひ出に　今ひとたびの　逢ふこともがな』

そのとき、わたしはもう、生きてはいないでしょう。だからこの世ではないところ――あの世の思い出に、もう一度だけ、あなたに会いたい。

病気になったときに、恋人にむけて詠んだ歌ですって。」

「ええ、その歌なら、わたしも知っているわ。」

「日記も書かれたのよ、その愛の思い出の。お読みになった？　とにかく、すてきなの。」

和泉式部さんの恋の日記を読んだときは、わたしも心をふるわされた。でも、他人にはあいまいにしておくのが、わたしのやりかただ。

わくわくして話す小少将さんに、てきとうにうなずいているところへ、わたしをたずねてきた人がいると、雑用係の女の子が言う。

部屋に通してもらうと、倫子さまの世話係の赤染衛門さんだった。土御門御殿で顔見知りになった。若宮さまに「敦成」さまとお名前をつけた学者、大江匡衡さまの奥さまだ。

わたしよりもだいぶ年上のはずだけれど、年齢不詳のふしぎなかただった。

「ごぶさたしておりますわ、藤式部さん。きょうはお願いがあって、まいりましたの。」

「なんでしょう。わたしでお役に立ちますでしょうか。」

「藤式部さんがお書きになった若宮さまのご誕生の記録、読ませていただきましたわ。まるで手にとるように、目の前でくり広げられているように、感じられましたことよ。」

「それは光栄です。」

「それでね、藤式部さん。」

と、赤染衛門さんは目をきらきらさせて、身を乗りだした。

「わたしも、本を書いてみたいと、前から思っておりましたの。道長さまの伝記ですわ。題名も決めておりましてよ。『栄花物語』と。」

「え、ええ、すてきな題名ですわね。」

「なので、記録の下書きを貸していただけないかしら。資料にしようと思いまして、あちこち、お借りしてまわってますの。行成さまとか、実資さまとか、まじめに日記をつけていらっしゃるかたがたにも、お願いするつもりですわ。」

たしかに、あのおふたりなら、まじめにきっちり、毎日の日記をつけていそうだ。

「……どうして、下書きがあると？」

「藤式部さん、こまめに紙に書きとめていらしたし、あきらかに、文章を整えて書きなおしてますわよね？

たいていのかたは、一気に書いたら、読みかえしもせず、『書けた書けた。』とよろこんで人に見せるものですわ。でも、あなたはちがうでしょう？　省いた部分もおありのはず。

その省いたくわしいところまで、わたしは知りたいのです。わたしはわたしの、とことん考えぬいた文が書きたいのです。あなたなら、この気持ち、きっとわかってくださいますわね？」

そうつめよられ、わたしはあっけにとられてしまった。

（するどい……さすが、和泉式部さんとならんで、歌がとてもじょうずな人と、みんなから言われているだけのことはあるわ。）

赤染衛門さんといえば、若いころのこんな歌が知られている。

『やすらはで　寝なましものを　さ夜ふけて　かたぶくまでの　月を見しかな』

あなたが来るのを待っていなければ、まよわず寝たでしょうに。あてにならない約束を信じて待って、夜がふけて、かたむいてしずもうとしている月を見てしまった——という意味だ。約束をやぶられ、ふられた姉にかわってこの歌を詠み、相手に送りつけたらしい。

「どうかしら、藤式部さん。わたしたち、きっと、おなじところが心のどこかにあるの。

書くことで……言葉をじかに言うのではなく、歌や文章にすることで、うまく思いを伝えられる、自分を表現できるところが。」

「そう……ですね。でも、あの……出回っている本が、すべてですわ。」

下書きなんて、文がめちゃくちゃで、はずかしい。

「そんなにこわがらなくてもいいわよ、わたしのこと。」

赤染衛門さんは笑った。

「わたし、倫子さまと道長さまに、彰子さまのお世話係にしていただけるようにお願いするわ。和泉式部さんもおいでになると聞いたし、あなたともっとお話がしてみたい。では、気がむいたら、下書きを貸してね？　いいえ、きっと、あなたはわたしと話すうちに、貸したくなるはずですわ。」

では、またね、と赤染衛門さんは帰っていった。

あぜんとしていたわたしだけれど、おもしろそうな人だな、と思った。

思いがけない人とかかわることになり、わたしはだまっていられなくて、手近にあった紙に書きつけはじめた。

そう、しゃべるのではなく、書くことで、わたしは思いが表現できる。『書くこと……和泉式部さんは、書いた手紙の文面が、とてもすてきだと聞いたことがある。なにげない言葉も、香りたってくるようだと。

わたしみたいに考えて修正して、磨く文とちがい、その場で生まれる言葉のいきいきしたところが、とてもすぐれたかたなのだろう。

歌もとてもおじょうず。口をついて出る言葉のひとつひとつに、どきっとさせられる。

赤染衛門さんは、それこそ、『頭の下がる』ような努力をおしまない。言葉を選び、研究しつくした歌を詠むかたで、文章を書くのにむいていると思う。伝記の本を書くには、まさにぴったり。』

赤染衛門さんとなら……もしかしたら、話があうかもしれない。もうすこし、ふみこんだ話ができたら、わたしもいくらかは、この世に居場所ができるのかもしれない。

そこまで考えて、ふと、頭によぎったことがあった。

――『定子さまがお元気だったころは、世話係の女のかたがたも、知識や教養があり、われわれと会話や手紙をやりとりして、おもしろかったものです。』

経房さまが『枕草子』をもってきたとき、言っていた言葉だ。

(その場にわたしがいたら……男の人とも、知識や教養を活かして、ふみこんだ話ができたら——。)

いいえ、と首をふり、思うことを、わたしは書きなぐった。

『そして、あの人……歌詠み元輔の娘さん、清少納言という人。漢字の文も読めて、いろいろ知っていると、じまん話を書いているけど、あんなの、まだまだ。あちこち知識の足りないところがある。

だいたい、人とちがっていたがる人は、目立とうと、どんどん変わったことばかりしていく。そのうちに、ずれていって、人から理解されなくなって、しまいには、ただの変な人になるだけだ。』

そこまで書いて、わたしはため息をついた。

(清少納言さんのことは、本当にそう思う。そう思わなければ、目立たないように生きているわたしが、生きる意味を見失うもの。

もしも、あんな知識の足りない人といっしょにいたら、まちがいをいちいち直さなくて

枕草子

はがまんできなくなってしまいそうだし。

自由なあの人がうらやましいか、と人から聞かれたら、わたしはうなずきながら、いいえ、と言うわ。両方なのよ、うらやましくて、でも、あんな人と友だちでなくて、いっしょにいなくて、よかったって。）

わたしは、わたしのやりかたで、生きる場所を切りひらいた。

それをいまさら、後悔なんてしない。

その後、赤染衛門さんは、本当にわたしたち世話係の仲間入りをし、やがて『栄花物語』を書きはじめた。わたしも記録を貸し、書き写すことさえもみとめたのだった。

その年の夏、わたしはまた、道長さまから手紙を受けとった。
『中宮さまが、二度目のご出産をされることは、もうそなたも知っているだろう。ついて

はまた、そなたに記録係をたのみたい。前回の記録は本当にすばらしいできばえで、とても評判がよかった。』

文を書いて、だれかの心にきざまれ、お役に立つ。

それがわたしの生きる意味なのだと思う。

この世に心の居場所はなくとも、役目がわたしにはある。つらくても、はたすべき役目が、生きる意味としてある。

「かしこまりました、道長さま。光栄です。」

そう、わたしは短い返事を書いた。

わたしは、書くことで、生きてゆく。

あとがき

紫式部は『源氏物語』の作者として有名です。

彼女がのこした日記は『紫式部日記』とよばれていますが、その内容の七割が、中宮彰子の最初の出産とそれに続くお祝いのようすの記録です。その記録と、彼女が宮中で働いていて思ったことや感じたことを書きとめたものとをいっしょにして、『紫式部日記』というタイトルのひとつの書物になって伝わっています。

紫式部が『源氏物語』の作者である証拠とされるのは、この『紫式部日記』に、それらしい物語を書いていると記されているからです。

また、彼女のよび名が「藤式部」だというのは、この本の最後のほうに出てきた赤染衛門が、『栄花物語』にそう書いているので、わかることです。伊勢大輔も「藤式部」と書いています。しかし、それと同時に、またさらに後の、別の人の書いた本でも「紫式部」とされていますから、あだ名のほうが有名になってしまったのでしょう。

紫式部の本名はわかりません。もっとも有名な「藤原香子」という説にしたがいましたが、読みかたも「かおるこ」「たかこ」などと、いろんな説があります。また、この「香子」も現在では「本当にそうなのかな?」と思われているようです。

さらに、紫式部の生まれた年も、亡くなった年もわからないのです。

生まれたのは九七〇年から九七八年のあいだのどこか、と考えられています。

兄弟の惟規が九七四年生まれではないかという説があるので、それより早ければ弟、おそければ兄と、惟規をよぶことになります。この本では、九七六年から九七八年あたりに紫式部が生まれたという説にそって、惟規を兄としました。

藤原宣孝との結婚は九九九年と考えられ、一〇〇〇年ごろに娘の賢子が生まれて、宣孝は一〇〇一年の四月にとつぜん亡くなります。そして、一〇〇五年か一〇〇六年の年末に、はじめて宮中へ働きに出るのです。

亡くなったのは、一〇一四年ごろ説と、もっと長生きしたのでは、という説がありります。この本にも出てくる藤原実資の日記(『小右記』)の一〇一三年五月二十五日に、働いている藤式部に会ったと書かれていて、それが最後の確実な記録です。
たしかに存在していたけれど、なぞの多い女性、それが紫式部です。

紫式部と、『枕草子』の作者・清少納言は「ライバル」だったと、よくイメージされています。教科書にも、名前がならんでのっています。けれど、このふたり、直接会ったことがないはずなのです。清少納言が宮中を去って数年したのち、紫式部が宮中にやってきたのですから。

しかし、清少納言を知っている人々が、宮中にはおおぜいいました。一条帝をはじめ、藤原行成や源経房など貴族の男性たちです。紫式部にとっては、清少納言とくらべられて、いやだったにちがいありません。『紫式部日記』でよく知られているのは、清少納言の悪口を書いたページです。

清少納言と彼らの関わりについては、機会があれば青い鳥文庫『枕草子　清少納言のかがやいた日々』を読んでみてください。イラストもこの本と同じ久織ちまき先生で、同じ人物は、同じ顔のキャラとして描かれています。久織先生、どうもありがとうございます。

また、小倉百人一首に歌が選ばれている人物が登場したときは、本文か、ページのはしに小さな字で、その歌を紹介するところもそろえました。その歌が詠まれた時代なのだと、思ってください。

この本は『紫式部日記』のほかに、それ以前のできごとが推測できる、紫式部の詠んだ和歌をまとめた『紫式部集』をもとに書きました。『紫式部集』は和歌と、かんたんなひとこと解説があるだけなので、その部分にもとづいた会話などはすべて私の想像です。

けれど、和歌とひとこと解説だけでも、おさななじみに会ったこと、いとこの手紙、父と越前へ行ったことや宣孝とのやりとり、そういったできごとが、宮中へ働きに出る前の紫式部の人生にあったことがわかります。

宮中に来てから、いやな思いをしたことや、どうにか居場所を作りだしていったことなどは、『紫式部日記』の出産やお祝いの記録ではない部分に書かれているのですが、なぜか、だれかにあてた手紙みたいな文になっています。

どうして、そんな書きかたをしたのか、は「本当にだれかに出した手紙の下書きが、出産記録といっしょにまとめられた」とか、「将来、賢子が宮中で働くときに、知ってほしいことを手紙の形に書いておいた」とかの説があります。

そもそも、『紫式部日記』という記録そのものが、とちゅうでいきなり文が終わっていて、書きかけなのか、元の本がやぶれて一部が失われてしまったのかもわかりません。


わからないことだらけですが、千年経った現在に残っている部分を読むだけでも、紫式部がすばらしい作家だったと、はっきりとわかります。彼女がどんな性格の人物だったのか、どれほどすぐれた感性と観察眼を持っていたのかも。

世界で最初に長編恋愛小説を書き、人の心の奥深くまでを描きだした紫式部。

彼女はまちがいなく天才でした。

天才ゆえに孤独だった紫式部の気持ちを、感じとっていただけましたら、幸せです。

最後に。紫式部が心から願ったとおりに、賢子は幸せな生涯を送りました。

宮中に働きに出て、生まれてすぐに母をうしなった、のちの後冷泉天皇の乳母となり、愛情をそそいで育てました。そして、その功績で夫とともに高い身分にのぼり、八十歳を過ぎる長生きをしたのです。

なやみつづけた紫式部を知ったあとで、賢子のことを知ると、ほっとしますね。

新緑がうるわしい窓辺にて、香る風になでられながら、記す　　時海結以

『拾遺和歌集　新　日本古典文学大系7』
小町谷照彦／校注　岩波書店　1990

『ちはやと覚える百人一首』
末次由紀／漫画　あんの秀子／著　講談社　2011

『知識ゼロからの百人一首入門』
有吉保／監修　幻冬舎　2005

『人物叢書　新装版　紫式部』
今井源衛／著　日本歴史学会／編　吉川弘文館　1985

『人物叢書　新装版　一条天皇』
倉本一宏／著　日本歴史学会／編　吉川弘文館　2003

『清少納言と紫式部
和漢混淆の時代の宮の女房　日本史リブレット020』
丸山裕美子／著　山川出版社　2015

『評伝　紫式部　世俗執着と出家願望』
増田繁夫／著　和泉書院　2014

『平安朝　女の生き方　輝いた女性たち』
服藤早苗／著　小学館　2004

『藤原道長』
北山茂夫／著　岩波書店　1995

『藤原道長の日常生活』
倉本一宏／著　講談社現代新書　講談社　2013

『藤原伊周・隆家　禍福は糾へる纏のごとし』
倉本一宏／著　ミネルヴァ書房　2017

主な参考資料　西暦は初版年

『紫式部日記全注釈』(上・下)
萩谷朴／著　角川書店　上1971　下1973

『紫式部日記　現代語訳付き』
紫式部／著　山本淳子／訳注　角川ソフィア文庫　角川学芸出版　2010

『紫式部日記』(上・下)
宮崎莊平／全訳注　講談社学術文庫　講談社　2002

『紫式部日記を読み解く
源氏物語の作者が見た宮廷社会　日記で読む日本史6』
池田節子／著　倉本一宏／監修　臨川書店　2017

『紫式部集評釈』
竹内美千代／著　桜楓社　1969

『賀茂保憲女集／赤染衛門集／
清少納言集／紫式部集／藤三位集　和歌文学大系20』
武田早苗・佐藤雅代・中周子／著　久保田淳／監修　明治書院　2000

『新訂版　紫式部と和歌の世界　一冊で読む紫式部家集　訳注付』
上原作和・廣田收／編　武蔵野書院　2012

『藤原道長「御堂関白記」』(上・中)
倉本一宏／全現代語訳　講談社学術文庫　講談社　2009

『藤原道長「御堂関白記」を読む』
倉本一宏／著　講談社選書メチエ　講談社　2013

『藤原行成「権記」』(下)
倉本一宏／全現代語訳　講談社学術文庫　講談社　2012

『神楽歌　催馬楽　梁塵秘抄　閑吟集　日本古典文学全集25』
臼田甚五郎・新間進一／校注・訳　小学館　1976

＊著者紹介

時海結以（ときうみゆい）

　長野県生まれ。歴史博物館にて、遺跡の発掘や歴史・民俗資料の調査研究職にたずさわったのち、作家デビュー。おもな著書に、『源氏物語　あさきゆめみし（全５巻）』（大和和紀・原作）、『平家物語　夢を追う者』『竹取物語　蒼き月のかぐや姫』『枕草子　清少納言のかがやいた日々』『南総里見八犬伝（全３巻）』『超高速！参勤交代　映画ノベライズ』（土橋章宏・脚本）、『真田十勇士』『雨月物語　悲しくて、おそろしいお話』（いずれも講談社青い鳥文庫）、『小説 ちはやふる 中学生編（全４巻）』（講談社）ほか。日本児童文学者協会、日本民話の会に所属。

＊画家紹介

久織ちまき（くおり）

　新潟県生まれ。漫画家＆イラストレーター。手がけた作品に『パセリ伝説（全12巻）』『パセリ伝説外伝　守り石の予言』『ラ・メール星物語（全5巻）』『平家物語　夢を追う者』『枕草子　清少納言のかがやいた日々』（いずれも講談社青い鳥文庫）、「佐和山物語」シリーズ（角川ビーンズ文庫）ほか。漫画作品に「聖闘士星矢セインティア翔」シリーズ（車田正美・原作／秋田書店）ほかがある。

この作品は書き下ろしです。

講談社 青い鳥文庫

紫式部日記(むらさきしきぶにっき)
天才作家のひみつ(てんさいさっか)
時海結以(ときうみゆい)

2018年7月15日 第1刷発行

(定価はカバーに表示してあります。)

発行者 渡瀬昌彦

発行所 株式会社講談社

東京都文京区音羽2-12-21 郵便番号112-8001

電話 編集 (03) 5395-3536
販売 (03) 5395-3625
業務 (03) 5395-3615

N.D.C.913 174p 18cm

装 丁 城所 潤(ジュン・キドコロ・デザイン)
久住和代

印 刷 図書印刷株式会社

製 本 図書印刷株式会社

本文データ制作 講談社デジタル製作

ISBN978-4-06-512262-4

「講談社 青い鳥文庫」刊行のことば

太陽と水と土のめぐみをうけて、葉をしげらせ、花をさかせ、実をむすんでいる森。小鳥や、けものや、こん虫たちが、春・夏・秋・冬の生活のリズムに合わせてくらしている森。森には、かぎりない自然の力と、いのちのかがやきがあります。

本の世界も森と同じです。そこには、人間の理想や知恵、夢や楽しさがいっぱいつまっています。

本の森をおとずれると、チルチルとミチルが「青い鳥」を追い求めた旅で、さまざまな体験を得たように、みなさんも思いがけないすばらしい世界にめぐりあえて、心をゆたかにするにちがいありません。

「講談社 青い鳥文庫」は、七十年の歴史を持つ講談社が、一人でも多くの人のために、すぐれた作品をよりすぐり、安い定価でおおくりする本の森です。その一さつ一さつが、みなさんにとって、青い鳥であることをいのって出版していきます。この森が美しいみどりの葉をしげらせ、あざやかな花を開き、明日をになうみなさんの心のふるさととして、大きく育つよう、応援を願っています。

昭和五十五年十一月

講 談 社